INFLUENCERS

GENERACIÓN DE TRANSFORMADORES

Cómo establecer el Reino de Dios en el corazón de niños y adolescentes para que impacten las siete esferas de influencia de una sociedad

4-14 años la edad más fructífera para formar a un discípulo

Editorial JUCUM forma parte de Juventud con una Misión una organización de carácter internacional.

Si desea un catálogo digital de nuestros libros solicítelos a:

Editorial JUCUM
P.O. Box 1138, Tyler, TX 75710-1138 U.S.A
Correo electrónico: info@editorialjucum.com
Teléfono: (903) 882-4725
www.editorialjucum.com

Influencers, Generación de transformadores, Currículo 4-7

Primera edición 2021
ISBN 978-1-64836-069-5
Diseño de carátula: Pam Viana B.

INTRODUCCIÓN:

El enfoque principal de este currículo es inspirar, motivar y contribuir a que todos nosotros, el cuerpo de Cristo que formamos su Iglesia, tomemos conciencia de la importancia de levantar a la generación 4/14 (los niños y adolescentes entre los 4-14 años) para transformar el mundo.

Cuando trabajamos con niños, estamos discipulando una nación.

Deut. 6:7 «y las repetirás a tus hijos, y hablarás de ellas estando en tu casa, y andando por el camino, y al acostarte, y cuando te levantes».

«Instruye al niño en su carrera y aun cuando fuere viejo no se apartará».

AGRADECIMIENTOS:

Agradecemos a Juventud con una Misión, especialmente a Wedge y Shirley Alman, fundadores del ministerio de JUCUM en América Latina y a Yarely Niño, fundadora de JUCUM Puerto Rico. A Dale Kauffman y al ministerio de King´s Kids internacional por motivarnos, inspirarnos, capacitarnos y empoderarnos para trabajar con la generación emergente. Y a Lyssette Ruiz, directora de King's Kids P.R.

Y a todos los maestros, hombres y mujeres de Dios, por la inversión tan valiosa de su enseñanza y sus libros que han sido inspiración para conocer y vivir los principios del Reino de Dios aquí en la tierra. A Landa Cope, José y Diana González, Dra. Elizabeth Youmans, Darrow Miller, los Fabianos, Dean Harvey, Ron Boehme, Stephen McDowell, Dean Sherman, Dr. Alan Snyder, Dennis Carrol, Michael Wolfe, Dave Coke y Yarley Niño.

Un agradecimiento especial a quienes dedicaron muchas horas para escribir este currículo y a los que formaron parte del personal de JUCUM-PR, durante los años 1989-2012. Gracias por ofrendar su conocimiento, talentos, destrezas, creatividad para hacer posible la creación y redacción de cada clase, drama, canción, dinámica y proyecto educativo, presentados como parte de este currículo.

RECONOCIMIENTOS:

Gracias al Dr. Luis Bush y al Prof. José González por invitarnos a unirnos al movimiento internacional de la ventana 4/14 y por motivarnos a escribir un currículo lo que Dios nos había estado enseñando por 25 años en el discipulado de los niños, adolescentes y jóvenes.

DEDICACIÓN:

A todos los niños, adolescentes y jóvenes que formaron parte del ministerio de King's Kids Puerto Rico y al elenco nacional entre los años 1989 al 2012. Y a sus padres, por habernos confiado a sus hijos.

ÍNDICE

¿Por qué este currículo?

Para responder a la necesidad de contar con una herramienta que facilite el discipulado de nuestros niños desde *el teísmo bíblico,* y les ayude a entender cómo vivir los principios del Reino de Dios aquí en la tierra. Creemos que a través de sus dones y talentos, dados por Dios, ellos pueden contribuir a la transformación de la sociedad. Con este currículo queremos ayudarles a descubrir aquellas áreas de influencia a la cual Dios les está llamando a servir.

¿Cómo usar este currículo?

Hemos diseñado las lecciones, empleando el método reflexivo de enseñanza y aprendizaje.

El formato de las lecciones está basado según lo enseñado y sugerido por la Dra. Elizabeth Youmans, y el método de «Educación por principios» (*Principle Approach*), desarrollado por la Dra. Rosalie Slater:

- ▶ Objetivo de la lección: aprendizaje y entendimiento; palabra clave de vocabulario, el principio bíblico a enseñarse y la cita bíblica.
- ▶ Principio bíblico: establece la verdad como fundamento y la estructura para enseñar la lección.
- ▶ Escritura bíblica: que apoya el principio bíblico a enseñarse.
- ▶ Actividad: drama, música, etc.
- ▶ Hoja de registro: anotar, registrar lo aprendido en la clase para recordarlo y aplicarlo a sus vidas.
- ▶ Proyectos: demostrar en forma creativa lo aprendido en el salón de clase, para que pueda asimilar integralmente la enseñanza.

Cada clase cuenta con una palabra clave que debe ser explicada durante la enseñanza. Los niños y adolescentes aprenderán cómo Dios se revela en cada esfera de la sociedad. Las esferas cuentan con un color en particular. Por ejemplo, el color anaranjado pertenece a la familia; sugerimos que todo lo referente a la esfera de la familia lleve el color anaranjado. Así los niños y adolescentes podrán resaltar los versículos claves en sus Biblias, con el color correspondiente cuando hacen referencia a cada esfera.

La mayoría de los videos han sido obtenidos de «YouTube» y se pueden acceder a ellos por Internet.

Es importante que cada drama, video y ejemplos cotidianos sean modificados de acuerdo al contexto de la nación donde se vaya a enseñar.

Ventana 4/14: 1.2+ billones de niños y adolescentes entre 4-14 años:

La ventana 4/14 es un movimiento mundial que se organizó en el 2008, bajo la inspiración del Dr. Luis Bush (quien también introdujo el término de la ventana 10/40). Se refiere al grupo demográfico más grande de «personas no-evangelizadas» —a nivel mundial— entre las edades de los 4 a los 14 años, cuando están más receptivos al desarrollo y formación espiritual.

El movimiento de la ventana 4/14 existe porque:

1. Los niños son el «grupo de personas no evangelizado» más grande del mundo y además el más receptivo a los asuntos espirituales y de desarrollo.

2. La Iglesia no entiende la importancia que Dios da a los niños.

3. Los niños que viven especialmente en pobreza, no tienen voz propia.

4. Los niños y los jóvenes son el potencial sin explotar más significativo; sin embargo, especialmente entre la edad de 11 y 18 años son la fuerza misionera más importante.

5. Es frecuente que los niños y los jóvenes son marginados cuando responden a la Gran Comisión.

6. La Iglesia debe aprender de la historia: cuando perdemos a los niños, al final perdemos la Iglesia, por lo tanto, estamos invirtiendo en el futuro de ella.

VISIÓN:

- La primera montaña o etapa (2009-2014) fue crear conciencia sobre el mayor grupo de personas no alcanzadas: los niños. Entonces Dios puso en nuestros corazones comenzar a escalar la segunda montaña o etapa. Debíamos ir más allá de la creación de conciencia y comenzar la tarea de equipar a las iglesias locales para arraigar (alentar, equipar, apoyar) a los niños y jóvenes en la palabra de Dios y Su misión (*Missio-Dei*) y hacerlos libres, como socios en las misiones, para hacer discípulos en su generación de manera integral.

MISIÓN:

- El movimiento ventana 4/14 busca involucrarse y asociarse con los niños y jóvenes para hacer discípulos de sus compañeros, hermanos y comunidades.

- Busca fortalecer a las iglesias y las familias para alcanzar, rescatar, enraizar, liberar a niños y jóvenes para que desarrollen todo su potencial e impacten y transformen a su sociedad.

VALORES FUNDAMENTALES:

1. Mente del Reino de Dios (un voluntariado, caracterizado por el servicio, el rigor y recursos (Filipenses 2).
2. Modelar e inspirar la unidad (Juan 17).
3. Modelo a seguir para niños y jóvenes (1 Tesalonicenses 1).
4. Valentía para afrontar riesgos (basada en la confianza y las promesas divinas - Josué 14).
5. Pasión por niños y jóvenes (Mateo 18 y 19).

El Rey y su Reino I

El Rey y su Reino I
(Clase niños 4-7 años)

TIEMPO: 1 hora 30 min.

OBJETIVOS:

- Escuchar la historia del Reino de Dios.
- Conocer el carácter y la personalidad de Dios.
- Entender que Dios quiere que imitemos su carácter.

VOCABULARIO:

- Dios:

El Ser Supremo; Jehová; el eterno e infinito espíritu; el creador y el soberano del universo. (Diccionario Webster, 1828).
Ser supremo que en las religiones monoteístas es considerado hacedor del universo. (Diccionario de La Real Academia Española, vigésima segunda edición).

- Rey:

Un soberano; un príncipe; un gobernante. (Diccionario Webster, 1828).
Monarca o príncipe soberano de un reino. (Diccionario de La Real Academia Española, vigésima segunda edición).

IDEA PRINCIPAL:

- Dios es amor.
- Dios es un Rey bueno.

ESCRITURA BÍBLICA:

➤ Éxodo 34:6: «¡Soy el Dios de Israel! ¡YO SOY es el nombre con que me di a conocer! Soy un Dios tierno y bondadoso. No me enojo fácilmente, y mi amor por mi pueblo es muy grande».

Contenido de la lección

ACTIVIDAD DE INICIO:

Opción A: Comenzar con la representación del drama de 20 minutos: *«La historia de nuestro Reino».* (Ver Anexo 1.a).

Opción B: Comenzar viendo el DVD del drama *«La historia de nuestro Reino».*

DESARROLLO:

Usted necesitará:

- Una corona (puede ser hecha de cartulina o papel de construcción).
- Una capa (puede ser hecha con una sábana o pedazo de tela).
- Un cetro (puede usar un palo de escoba y en el extremo superior colocar una corona pequeña hecha en papel de construcción).
- Rótulo de la palabra del vocabulario REY (Lámina 1.1.).
- Silueta de una persona con una corona en la cabeza (puede usar papel estraza de envolver/papel craft).
- Figura de un cerebro (Lámina 1.2).
- Figura de un corazón (Lámina 1.3).
- Lámina de niño llorando (Lámina 1.4).
- Lámina de niño riendo (Lámina 1.5).
- Lámina de niño enojado (Lámina 1.6).
- Figura de unas manos (Lámina 1.7).
- Rótulo de las siguientes cualidades, con los colores correspondientes:
    - ➤ Amor (Lámina 1.8) Rojo.
    - ➤ Sabio (Lámina 1.9) Amarillo.
    - ➤ Justo (Lámina 1.10) Verde.
    - ➤ Misericordioso (Lámina 1.11) Rosa.
    - ➤ Verdadero (Lámina 1.12) Violeta.
    - ➤ Fiel (Lámina 1.13) Azul.
    - ➤ Santo (Lámina 1.14) Blanco.
- Silueta de un diamante para colocar las cualidades del carácter de Dios (Lámina 1.15).
- Una papa para jugar «papa caliente» (podría ser cualquier otro objeto).
- Dibujo de una silla (mínimo de tamaño carta o legal) (Lámina 1.16).
- Pintura de dedos o barro (opcional).
- Toallas húmedas o envase con agua limpia (para lavarle las manos a los niños en caso de que hagan la dinámica de pintarse los dedos).

- Papel blanco tamaño carta (opcional, si hacen la dinámica de ensuciarse los dedos para la clase de santidad).

El maestro entrará al salón de clase con una corona en su cabeza, una capa y un cetro. El *maestro* dice: «Tengo una corona, tengo una capa y tengo un cetro. ¿Quién usa todas estas cosas que tengo puestas?». (Dejar que los niños respondan). «Un rey es una persona que tiene la autoridad para gobernar un territorio y sus habitantes». (Mostrar y pegar la palabra de vocabulario «REY» en el cofre [ver Lámina 1.1]). «Según la historia, nosotros tenemos un Rey. Este Rey es nuestro Dios. ¿Qué tal si conocemos cómo es ese Rey? (El maestro pegará una silueta de una persona de tamaño real con una corona en la cabeza [ver anexo 1.c en Unidad de proyectos]). Nuestro buen Rey, Dios, tiene tres características que lo hacen ser una persona. Veamos cuáles son:

1. Intelecto (pegar cerebro en la cabeza de la silueta [ver Lámina 1.2]). *El maestro* pregunta: «¿Qué comiste hoy? (Dejar que los niños respondan). Entonces el maestro dice: para poder acordarte de lo que comiste hoy tuviste que pensar. Dios fue el primero en pensar. Por esto decimos que Él tiene intelecto o pensamiento».

2. Emociones (pegar corazón en el pecho de la silueta [ver lámina 1.3]). El maestro mostrará la lámina de un niño llorando [ver Lámina 1.4]; un niño riendo [ver lámina 1.5] y un niño enojado [ver lámina 1.6]. *Maestro:* «¿Qué le pasa a este niño?». (Permitir que los niños respondan). «Así son las emociones. Dios también siente emociones. Por ejemplo: cuando tú no obedeces a mami y a papi, Dios se siente triste; pero cuando los obedeces, Él se siente alegre».

3. Voluntad (pegar manitas en el área de las manos de la silueta [ver lámina 1.7]). Si te viene el pensamiento de comerte las galletas a escondidas de tus padres, ¿qué harías? (Dejar que los niños respondan). Tú puedes decidir hacer lo bueno o lo malo. Tú puedes decidir porque tienes voluntad. (Drama opcional: Ahora el maestro puede mostrar el drama de «La silla» que consiste en colocar una silla que tiene un aviso que dice: «No tocar». Una persona piadosa pasa frente a la silla y lee el aviso, «No tocar». Entonces decide obedecer, mostrando al público que la silla no se puede tocar. Este personaje sale de escena y entra otro personaje que al ver la silla y el letrero que dice «no tocar», toma el letrero y lo tira al suelo con actitud de arrogancia, y decide tocar la silla y sentarse. Al tocar la silla queda pegado a ella. Entra nuevamente el personaje piadoso y ve que el otro anda en problemas. El personaje piadoso le trae el aviso que dice «no tocar» y le muestra como su desobediencia tuvo malas consecuencias. El personaje pegado a la silla se arrepiente y juntos hacen una oración, quedando el personaje libre de la silla. El personaje que se había quedado pegado a la silla recoge el rótulo del suelo lo coloca en la silla y anima a la audiencia a no tocarla. [Hay varias versiones de este drama, y usted puede usar la que más se adapte a su contexto. El drama no puede ser extenso debido al tiempo establecido para la clase]. La moraleja es que los seres humanos somos libres para utilizar nuestra voluntad. Somos libres para decidir qué hacer y qué no hacer, pero todas las decisiones tienen consecuencias buenas o malas.

Estas tres características de nuestro Rey (intelecto, sentimientos y voluntad) nos muestran que nosotros nos parecemos a Él, ya que nosotros también las poseemos. Estas cualidades hacen que seamos «personas», y no simples animales.

Cuando vimos el primer drama, ¿cómo nos dijeron los ángeles que era nuestro Rey? (Permitir que los niños respondan). Dios, como persona que es, ha decidido tener estas cualidades: amoroso, sabio, justo, misericordioso, verdadero, fiel y santo. (Cada una de estas cualidades se colocará en una lámina de color específico [ver láminas 1.8- 1.14]. Estas cualidades se pegarán en la lámina del diamante [ver lámina 1.15] que debe estar colocada al lado de la silueta de la persona).

- **Amor:** Dios decide dar lo mejor para los demás. Tú también puedes decidir lo mismo, por ejemplo: pensando primero en servir y ayudar a los demás, antes que a ti mismo, así como al obedecer a mamá arreglando tu cuarto.
- **Sabio:** Dios hace todo con amor. Tú también puedes ser sabio. ¿Cómo? Cuando vas a la escuela puedes aprender a utilizar lo que estás aprendiendo para ayudar a otros. Por ejemplo: en la escuela tú aprendes a recortar papel. Cuando encuentras un niño que no sabe recortar papel y lo ayudas, tú también estas siendo sabio porque estás usando lo que sabes para bendecir a otros.
- **Justo:** Dios trata a cada persona como se merece, sin juzgarlos mal. (El maestro jugará con los niños a la «papa caliente»). El maestro explicará así las instrucciones: «Vamos a jugar "el juego de la papa caliente". El que se quede con la papa cuando yo diga "ya", sale del juego». Todos comienzan a decir «papa caliente, papa caliente…», hasta que el maestro dice «ya». En ese momento sale del juego el niño que se quedó con la papa. El maestro pregunta: «¿Sería justo que yo sacara del juego a uno de los niños que no se quedó con la papa? (Dejar que los niños respondan). Claro que no, porque según las reglas del juego, el niño que debe salir es el que se quedó con la papa. Esto es lo justo. Tú también puedes ser justo aplicando las reglas, así como Dios es justo».
- **Misericordioso:** Dios extiende perdón a las personas que se arrepienten, sin darles el castigo que se merecen. Esto es ser misericordioso. Por ejemplo, tu mamá te dijo que no puedes salir a jugar porque no le obedeciste, pero tú te arrepentiste de tu desobediencia, le pediste perdón, y tu mamá muestra su misericordia dejándote salir. Tú también puedes ser misericordioso como Dios.
- **Verdadero:** (El maestro mostrará el dibujo de una silla [ver Lámina 1.16]). El maestro pregunta: «¿Qué es esto? (Dejar que los niños respondan) ¿Quién quiere sentarse? (Dejar que un voluntario trate de sentarse). Luego el maestro dirá: No te puedes sentar porque esto no es una silla verdadera. Esto es sólo el dibujo de una silla. La verdad es la descripción de la realidad. Sólo Dios es la verdad porque Él no miente. Tú también puedes ser veraz como Dios, si no mientes y dices siempre la verdad».
- **Fiel:** Dios hace siempre lo que dice. Si hace una promesa la cumple. Él dice en Su palabra: «Mis padres podrán abandonarme, pero tú me adoptarás como hijo». (Salmo 27:10). Si Él dice esto es porque así será. Puedes estar seguro de que Él siempre tendrá cuidado de ti porque Él es fiel. Tú también puedes ser fiel, así como Dios es fiel. Por ejemplo: puedes ser fiel cuando le prometes a tu compañero que cuidarás el juguete que te prestó, y se lo devuelves en buenas condiciones.
- **Santo:** Dios decidió estar separado del mal. Él no hace nada malo, y vive todo lo que conoce. Tú también puedes ser santo como Dios es santo. Si tú sabes que pegarle a tu amiguito no es un acto de amor, tú no lo harás porque ofende la santidad de Dios. (Dinámica opcional: si tiene tiempo, puede llamar a uno o dos voluntarios. Permita que los niños se pinten las manos con pintura de dedos o se las ensucien con barro. Dígales que toquen una hoja de papel blanco tamaño carta, sin ensuciarlo. Explique que Dios es limpio y puro como ese papel, porque no hace nada malo y vive todo lo que conoce. Si los niños quieren estar junto a Dios, necesitan ser igualmente puros y limpios, haciendo lo que saben que es correcto).

CIERRE:

Aplicación/Resumen

«Así como Dios ha decidido ser amoroso, sabio, misericordioso, verdadero, fiel, justo y santo, nosotros también podemos decidir parecernos a Él. Dios quiere que tú decidas ser como Él es». (Dinámica opcional: si tiene tiempo puede realizar el juego «Imiten al maestro». El maestro explicará cómo deben de imitar todo lo que él haga. El maestro debe realizar una serie de movimientos con su cuerpo y permitir que los niños lo imiten. Al finalizar el juego el maestro explicará que, así como ellos imitaron sus movimientos y gestos, así deben de imitar el carácter de Dios, amoroso, sabio, justo, misericordioso, verdadero, fiel y santo).

MANUALIDAD:

Usted necesitará:

- Dibujo de una corona en papel de construcción para cada estudiante (Anexo 1.b ver Unidad de proyectos).
- Piedritas plásticas de color rojo, amarillo, verde, rosado, morado (violeta), azul y blanco. (Una piedra de cada color, por estudiante).
- Pegante blanco.
- Tijeras para cada cuatro (4) estudiantes (opcional). Se les puede pedir a los niños que traigan sus propias tijeras.
- Un sobre de tamaño legal en forma de cofre del tesoro para cada niño (Anexo 1.d en Unidad de proyectos).

Antes de la clase, imprima o dibuje la hoja de la corona en papel de construcción (ver anexo 1.b). Para ahorrar tiempo lleve las coronas recortadas con anterioridad. Provea a cada estudiante 7 piedritas plásticas de los colores ya asignados a cada cualidad del carácter. Pídales a los niños que peguen las piedritas decorando la corona y que coloreen la leyenda con los colores correspondientes a la cualidad. Explique brevemente cada cualidad del carácter de Dios al pegar la piedrita. En este momento puede preguntarles a los niños acerca de lo que aprendieron de cada cualidad. Al terminar, guarden la corona en el cofre del tesoro de cada estudiante.

Recomendamos la siguiente canción interpretada por Mrs. Vani: «Capitán Obediencia». Las pueden adquirir en iTunes.

Lección 2

El Rey y su Reino II
(Clase niños 4-7 años)

TIEMPO: 1 hora.

OBJETIVOS:

► Aprender los Diez Mandamientos.
► Entender que la obediencia a Dios es importante para traer Su reino a la tierra.
► Darse cuenta de que, como niños, tienen un lugar importante en la historia del Reino de Dios.

VOCABULARIO:

► Reino de Dios:

En las Escrituras, es el gobierno o dominio universal de Dios (Diccionario Webster, 1828).
Nuevo estado de cosas en que rige la salvación y la voluntad de Dios. Fue anunciado por los profetas de Israel, predicado e instaurado por Jesucristo. Su realización, incompleta y temporal en la iglesia militante, se consuma y perpetúa en la iglesia triunfante. (Diccionario de la Real Academia Española, vigésima segunda edición).

► Obedecer:

Cumplir la voluntad de quien manda. (Diccionario de la Real Academia Española, vigésima segunda edición).
Cumplir con los mandamientos, órdenes o instrucciones de un superior o con los requerimientos de la ley, la moral, políticos o municipales; hacer lo que es mandado o abstenerse de hacer lo que es prohibido. (Diccionario Webster, 1828).

► Mandamiento:

Mandato; una orden o precepto dado por la autoridad. (Diccionario Webster, 1828).

IDEA PRINCIPAL:

- ► Dios quiere traer su Reino a la tierra.
- ► La obediencia es necesaria para traer el Reino de Dios a la tierra.

ESCRITURA BÍBLICA:

- ► Mateo 6:10: «Ven y sé nuestro único rey. Que todos los que viven en la tierra te obedezcan, como te obedecen los que están en el cielo».

Contenido de la lección

ACTIVIDAD DE INICIO:

Usted necesitará:

- Una corona (puede ser hecha con papel estraza para envolver, (papel de madera/papel craft) o papel de construcción. Se puede utilizar la misma que utilizó el maestro en la clase anterior).

Este juego se llama: «El Rey dice». (Pregunte a los niños quién quiere ser voluntario para que haga de rey. Póngale una corona al voluntario. Explique a los niños que ese rey va a tener la oportunidad de dar instrucciones al resto de los niños acerca de lo que tienen que hacer. El niño que hace de rey debe comenzar la instrucción diciendo: «El rey dice que todos se levanten, se sienten, crucen los brazos, etc.». (Permita que este niño sea rey por un rato y luego dé la oportunidad a otro niño).

El maestro dice al terminar el juego: «En este juego ustedes hacían lo que el rey les decía. Para obedecer, ustedes tenían que decidir ser obedientes».

DESARROLLO:

Usted necesitará:

- Silueta de una persona con una corona (esta puede ser hecha con papel estraza (papel madera, papel craft); es la misma utilizada para la clase del Rey y su Reino I).
- Lámina de la creación (Lámina 2.1).
- Rótulo que diga «REINO DE DIOS» (Lámina 2.2).
- Lámina de las tablas de los 10 mandamientos (Lámina 2.3).
- 10 franjas con los 10 mandamientos escritos (Lámina 2.4).
- Una caja decorada llamativamente.
- Lámina de los desobedientes (Lámina 2.5).
- Lámina de la cruz (Lámina 2.6).
- Lamina de nuestra misión: (Lámina 2.7).
- Cinta adhesiva.

Esta clase tiene 5 partes importantes: 1. Nuestro Dios es bueno y creó todo lo que existe: animales, planetas, plantas, los seres humanos, etc.; 2. Dios nos dio unos mandamientos buenos

para enseñarnos a vivir; 3. Hay personas que han decidido ser desobedientes; 4. Jesús vino a darnos la salvación; 5. Tenemos una misión dentro del Reino de Dios.

Al comenzar cada parte de la clase, el maestro pegará la imagen que corresponde en la pared.

Ahora el maestro pregunta:

1. Según la clase anterior, ¿quién es nuestro Rey? (Permita que los niños respondan) ¿Cómo es nuestro Rey Dios? (Permitir que los niños respondan) Nuestro Rey es Dios y Él es bueno. Él creó todo lo que tus ojos pueden ver y nos dio unos mandamientos buenos que nosotros debemos obedecer. (Pegar lámina de la creación [ver lámina 2.1]).

2. Cada uno de ustedes está llamado a traer el Reino de Dios a todo lugar. El Reino de Dios es todo lugar donde se hace la voluntad de Dios. (Repita la definición y pegue la palabra REINO DE DIOS en el cofre [ver lámina 2.2]). Tú puedes hacer esto cuando haces su voluntad, lo que dice Dios. Pero, ¿cómo sabes cuál es la voluntad de Dios?, ¿Qué fue lo que Él nos dejó para que lo cumpliéramos? Él nos dejó los 10 mandamientos. (Pegar lámina de las tablas de los 10 mandamientos [ver lámina 2.3]).
Los Diez Mandamientos nos enseñan cómo debemos de vivir y se resumen en: amar al Rey Dios y a las demás personas. Ese buen Rey, que es grande en amor, hizo leyes buenas y justas para que nosotros las cumplamos y vivamos felices.

Veamos cuales son esos mandamientos que tú y yo debemos obedecer. (Tener cada mandamiento escrito en una franja y con el número que le corresponde [ver lámina 2.4]). Colocarlos en una caja decorada llamativamente. Pídale a un voluntario que consiga el número del mandamiento que vaya a presentar y péguelo en la pared dónde está la lámina de las tablas de los 10 mandamientos. [ver lámina 2.3]).

1. No tengan otros dioses aparte de mí.
2. No hagan ídolos ni imágenes de nada que esté en el cielo, en la tierra o en lo profundo del mar. No se arrodillen ante ellos ni hagan cultos en su honor. Yo soy el Dios de Israel, y soy un Dios celoso. Yo castigo a los hijos, nietos y bisnietos de quienes me odian, pero trato con bondad a todos los descendientes de los que me aman y cumplen mis mandamientos.
3. No usen mi nombre sin el respeto que se merece. Si lo hacen, los castigaré.
4. Recuerden que el sábado es un día especial, dedicado a mí. Durante los primeros seis días de la semana podrán hacer todo el trabajo que quieran, pero el sábado será un día de descanso, un día dedicado a mí. Ese día nadie deberá hacer ningún tipo de trabajo: ni ustedes, ni sus hijos, ni sus hijas, ni sus esclavos, ni sus esclavas, ni sus animales, y ni siquiera el extranjero que trabaje para ustedes. Yo hice en seis días el cielo, la tierra y el mar, y todo lo que hay en ellos. Pero el séptimo día descansé. Por eso bendije ese día y lo declaré un día especial.
5. Obedezcan y cuiden a su padre y a su madre. Así podrán vivir muchos años en el país que les voy a dar.
6. No maten.
7. No sean infieles en su matrimonio.
8. No roben.
9. No hablen mal de otra persona ni digan mentiras en su contra.

10. No se dejen dominar por el deseo de tener lo que otros tienen, ya sea su esposa, su sirviente, su sirvienta, su buey, su burro, o cualquiera de sus pertenencias.
Deuteronomio 20:3-17.

El propósito de estos mandamientos o leyes, es protegernos y poner orden en nuestra vida. Estos mandamientos nos enseñan a convivir unos con otros.

3.   Pero, así como el buen Rey Dios nos hizo libres, nosotros podemos decidir obedecerle o no obedecerle. Muchos le dieron la espalda a Dios y desobedecieron sus leyes. (Pegar lámina de personas dándole la espalda a Dios o a los mandamientos «pecando» [ver lámina 2.5]). ¿Qué hicieron estas personas? ¿Qué vimos en el drama? Estas personas trajeron ideas incorrectas acerca del Rey. Muchos sirven al dinero como si fuera el rey, otros a los animales, otros al ser humano, etc.

Nosotros mismos podemos ser esas personas que se rebelan contra Dios si le desobedecemos, trayendo así mucho dolor a su corazón.

Juego: «Tentación, Obediencia».

El maestro se parará de espaldas a los niños, y cada vez que se dé vuelta dirá la palabra tentación, o dirá obediencia. Cuando el maestro diga obediencia, los niños tendrán luz verde para correr hacia el maestro; pero cada vez que el maestro diga tentación, los niños deben parar de correr.
La idea es que los niños entiendan que la obediencia es lo que debemos seguir, no la tentación o la desobediencia.

4.   Pero no todo quedó perdido. Dios preparó un plan para salvarnos… JESÚS. (Pegar lámina de la cruz [ver lámina 2.6]). Con su muerte en la cruz, Jesús nos dio otra oportunidad de estar con Él y entrar en su Reino. Pero para esto tenemos que arrepentirnos de nuestro pecado de desobediencia. Si tú has des obedecido al buen Rey Dios, puedes pedirle ahora a Jesús que te perdone y así volver a ser parte de los que traen el Reino de Dios a este mundo.

Gracias a que Jesús murió y resucitó para salvar a los que se arrepienten, en cada rincón de la tierra existen seres creados a su imagen y semejanza, como ustedes, dispuestos a cumplir la misión que el Rey nos ha dado.

5.   ¿Cuál es esa misión? (Pegar lámina de nuestra misión [ver lámina 2.7]). Esa misión es: conocer a Dios para darlo a conocer a otros haciéndolo Rey en cada una de las áreas de nuestra vida. La historia del Reino va a continuar porque tú seguirás siendo obediente. Aunque eres niño, puedes traer el Reino de Dios cuando le obedeces.

La historia del Reino no se ha terminado porque tú la continuarás. Aunque eres niño, puedes traer el Reino de Dios cuando le obedeces.

Recomendamos la canción «Había una vez», interpretada por Mrs. Vani. La pueden adquirir en iTunes.

CIERRE:

Aplicación/Resumen

Usted necesitará:

- Libro «*Historia de nuestro Reino*» (este es el libro que se utilizó para el drama del inicio de la clase El Rey y su Reino I).

(Utilizando el libro de la *Historia de nuestro Reino*, repasaremos la clase junto a los niños. Enfatice que este libro no se ha acabado pues ellos lo continuarán haciendo a Dios Rey en todos sus actos: limpiando sus habitaciones, obedeciendo a mamá y papá, ayudando a otros, etc).

MANUALIDAD:

Usted necesitará:

- 7 papeles de varios colores o papel de construcción para formar un libro para cada estudiante (cada papel tendrá la mitad de una hoja tamaño carta).
- Grapadora.
- Láminas de la *Historia de nuestro Reino* para cada estudiante. El libro será confeccionado de tal manera que las imágenes queden horizontalmente: (Anexo 2.a).
- Oraciones que resumen la *Historia de nuestro Reino* para cada página del libro. (Anexo 2.b).
- Pegante blanco.
- Un sobre de tamaño legal en forma de cofre del tesoro para cada niño (este es para guardar todos los trabajos de los niños).

Libro Historia de nuestro Reino

Tenga preparados los materiales para hacer el libro de cada niño. Utilice papel de construcción para confeccionar el libro que constará de 7 páginas. Los niños pegarán las láminas en el orden de la historia del Reino (ver anexo 2.a). Colorearán el libro durante la clase, o después en grupos pequeños si no les alcanza el tiempo. Al terminar, guardarán el trabajo en el cofre del tesoro de cada estudiante.

Tiempo a solas con Dios

Lección 3

Tiempo a solas con Dios
(Clases niños 4-7 años)

TIEMPO: 1 hora 30 min.

OBJETIVOS:

- ▶ Conocer los pasos para un tiempo a solas con Dios.
- ▶ Poner en práctica los pasos para un tiempo a solas con Dios.
- ▶ Animarlos a desarrollar una amistad diaria con Dios.

VOCABULARIO:

- ▶ Devocional:

Perteneciente a la devoción, usado en devoción… (Diccionario Webster, 1828).

- ▶ Devoción:

Acto de consagrarse solemnemente o separarse para un propósito particular. (Diccionario Webster, 1828).

- ▶ Amistad:

Afecto personal, puro y desinteresado, compartido con otra persona, que nace y se fortalece con el trato. (Diccionario de la Real Academia Española, vigésima segunda edición).

IDEA PRINCIPAL:

- ▶ Puedes conocer a Dios en la medida que pases tiempo con Él.

ESCRITURA BÍBLICA:

► Juan 17:3 «Esta vida eterna la reciben cuando creen en ti y en mí; en ti, porque eres el único Dios verdadero, y en mí, porque soy el Mesías que tú enviaste al mundo».

Contenido de la lección

ACTIVIDAD DE INICIO:

Sentar a los niños en círculo y preguntarles: «¿Quién tiene un amigo? ¿Cómo se llama? ¿Cómo es él/ella? ¿A qué le gusta jugar? ¿Qué le gusta comer? ¿Qué no le gusta comer?». (Permitir que los niños respondan y luego preguntarles): ¿Cómo saben ustedes todo eso de la persona? (Permitir que ellos respondan. Algunas respuestas podrían ser: porque jugamos juntos, pasamos mucho tiempo juntos, estudiamos en la misma escuela, entre otras).

El maestro: «Para conocer a un amigo debemos pasar mucho tiempo juntos». (pídales a los niños que se dividan en grupos pequeños en caso de tener líderes para cada grupo. De no ser así, puede dejarlos sentados en un círculo grande).

DESARROLLO:

Usted necesitará:

- Un peluche (puede ser pequeño o grande. El maestro lo mostrará a la clase).
- Una flor (puede ser de verdad o de plástico. Ésta se usará en un drama que se le mostrará a la clase).
- Rótulo de la palabra de vocabulario «DEVOCIONAL» (Lámina 3.1).
- Láminas correspondientes para:

  ► Corazón Limpio (Lámina 3.2).
  ► Alabanza y Adoración (Lámina 3.3).
  ► Callar/silenciar las voces (Lámina 3.4).
  ► Leer y meditar en la Palabra de Dios (Lámina 3.5).

- Cartulinas con el versículo 2 Timoteo 3:16-17 (TLA) (Anexo 3.a)

  ► Orar por otros / Interceder (Lámina 3.6).

- Casita hecha de cartón con una ventana grande para que se vea la persona que está adentro pidiendo ayuda (ver anexo 3.b)

  ► Dar Gracias (Lámina 3.7).

- Pintura para dedos.
- Papel blanco (por lo menos uno. Lo ideal es tener uno para cada niño).
- Un crayón o lápiz (por lo menos uno. Lo ideal es tener uno para cada niño).

- Toallas húmedas o envase con agua y toalla (para lavar y secar las manos de los niños que participen en la dinámica de la pintura para dedos).

- Canción de alabanza (con movimientos físicos previamente preparados para enseñar la canción a los niños).

  Recomendamos la canción «Cada mañana», interpretada por Mrs. Vani. La pueden adquirir en iTunes.

- Objetos de metal como cucharones y ollas (si se hace la opción No.1 para la actividad de «Callar las voces»).

- Gasolina.

- Fósforos.

- Manguera conectada a una toma de agua o varios envases con agua (serán utilizados por la persona que haga de bombero para apagar el fuego).

- Ropa que parezca de bombero (para el drama).

- Noticia en el periódico de su país (que sea corta y muestre una necesidad por la cual los niños puedan orar).

Maestro: «En el libro del Génesis 1:27 podemos ver que Dios, nuestro Creador, nos hizo a su imagen y semejanza. ¿Qué quiere decir esto? Que somos parecidos a Él. Tenemos intelecto (pensamos), tenemomociones (sentimos) y tenemos voluntad (decidimos). ¡Nos parecemos a Él! Dios nos hizo a su imagen y semejanza para que podamos relacionarnos con Él, para que podamos ser sus amigos». (Hacer referencia aclase del «Carácter y personalidad de Dios»).

(Mostrar un peluche). «¿Me puedo yo relacionar con este peluche? ¿Puedo ser amigo de este peluche? ¿El peluche me va a responder, y me va a escuchar? ¡No! Porque no fuimos creados con el mismo diseño. Nosotros estamos hechos a la imagen y semejanza de Dios, y por eso podemos relacionarnos con Él».

Drama: (Entra una persona con una flor y comienza a decir:) «Florecita, tú eres mi amiga. ¡Cuánto te quiero! ¿Me escuchas florecita? Yo sé que me escuchas... ¿Me escuchas florecita? Dime que me quieres por favor, dime que me quieres». (Luego deja la flor y se va).

Maestro: «¿Será que podemos tener amistad con una flor? (Dejar que los niños respondan). No podemos tener amistad con una flor porque no está hecha a imagen y semejanza nuestra. Pero si podemos ser amigos de Dios porque Él nos creó parecidos a Él. Por eso podemos llegar a ser sus verdaderos amigos».

«Dios quiere que le conozcamos y seamos sus amigos. Para esto debemos pasar mucho tiempo con Él. A este tiempo le llamamos "Tiempo a solas o devocional". El devocional es un tiempo que separamos con el propósito de conocer a Dios». (Repita la definición y pegue el rótulo de la palabra de vocabulario DEVOCIONAL en el cofre [ver lámina 3.1]).

Hay 6 pasos que nos ayudarán a tener un buen tiempo con Dios. (A medida que discuta cada uno de los pasos, tome un tiempo para ponerlo en práctica en grupos pequeños con sus líderes. En caso de no tener un líder para cada grupo pequeño, hágalo usted mismo con todo el grupo grande).

1. **Corazón limpio:** (Pegue en la pared la lámina 3.2).

ACTIVIDAD:

Esta actividad se puede hacer con todos los niños o con un voluntario. Dígale al niño que moje sus manos en la pintura para dedos. Mientras el niño hace esto, el maestro dice: «Cuando nosotros hacemos cosas que a Dios no le agradan —mentir, pelear, robar, desobedecer— estamos pecando. Eso ensucia nuestros corazones, así como este niño tiene las manos sucias».

Ahora pídale al niño con las manos pintadas que dibuje en un papel blanco algo hermoso que le pueda dedicar a Dios, pero sin ensuciar el papel con la pintura de sus manos. Mientras el niño intenta hacer esto diga: Así como este niño no puede escribir sin ensuciar el papel, tampoco nosotros podemos hablar con Dios si tenemos pecados en nuestro corazón (hasta arrepentirnos). La Biblia dice en Mateo 5:8 que «sólo el limpio de corazón verá a Dios».

Luego limpie las manos del niño y pregunte: «¿Podemos ser limpios del pecado? ¿Cómo? ¡Arrepintiéndonos y pidiéndole perdón a Dios! Esto ocurre cuando nos damos cuenta de que hicimos mal, le pedimos perdón y decidimos NO volverlo a hacer. No basta sentirnos mal por lo que hicimos. Debemos decidir que no vamos a volver a hacerlo».

(En grupos pequeños, tomen un tiempo para auto examinarse y de pedirle al Espíritu Santo que nos muestre si hemos hecho algo que ha traído tristeza a su corazón. Dirija a los niños en una oración de arrepentimiento por los pecados que han cometido).

2. Alabanza y adoración: (Pegue en la pared la lámina de adoración [ver lámina 3.3]).

La adoración consiste en reconocer a Dios como Él es. Para adorarlo, los niños deben decirle que lo aman y que están muy agradecidos de estar con Él. Por eso desean hacer las cosas que alegren su corazón.

Podemos demostrarle nuestro amor a Dios de diferentes formas (no sólo cantando); podemos dibujar, escribirle una carta o decirle palabras que le agraden.

(Los niños cantarán una canción de alabanza y adoración. Enséñeles los movimientos con la letra de la canción para que ellos puedan adorar a Dios de esta manera. La canción y los movimientos que se les enseñará a los niños debe ser escogida con anticipación).

Recomendamos las siguientes canciones interpretadas por Mrs. Vani: «Cada mañana; Quiero; A mi corta edad». Las pueden adquirir en iTunes.

3. Callar las voces: (Pegue en la pared la lámina de callar las voces [ver lámina 3.4]).

ACTIVIDAD:

Opción No. 1: Pida a algunos de los líderes o ayudantes que hagan mucho ruido con objetos de metal (pueden ser ollas y cucharones). Al mismo tiempo, trate de hablarles a los estudiantes.

Opción No. 2: Diga a los niños que usted les va a decir un secreto, pero que deben hacer mucho ruido mientras tanto. Cuando ellos estén haciendo mucho ruido, trate de compartirles el secreto. El secreto puede ser que «Dios quiere ser su amigo».

Después de esta actividad diga: «Para poder escuchar a una persona necesitamos silencio. Igual sucede con Dios. Para poder escucharlo necesitamos silenciar cualquier otra voz que pueda distraernos».

«Pero, así como podemos escuchar la voz de Dios, escuchamos también la de nosotros mismos y la de Satanás. Para escuchar a Dios debemos callar nuestra propia voz y la de Satanás. Dios nos ha dado el poder y la autoridad para hacerlo»

(Dirija a los niños en una oración para silenciar sus propias ideas, sus pensamientos y la voz del enemigo o Satanás, en el nombre de Jesús. Permita que los niños repitan la oración después de usted. [Observación: callar la voz de Satanás no es pelear con los demonios porque los niños son muy sensibles a los temas de monstruos. No se debe sobre enfatizar el asunto de Satanás, sino insistir en que tenemos poder en Jesús para callar al enemigo]).

Recomendamos la siguiente canción interpretada por Mrs. Vani: «No temeré». La pueden adquirir en iTunes.

4. Leer y meditar en la Palabra de Dios: (Pegue en la pared la lámina correspondiente a leer y meditar en la Palabra [ver Lámina 3.5]).

¿Qué mejor forma para conocer a Dios que a través de la Biblia, que es su Palabra escrita? El salmo 119: 97 dice: «¡Tanto amo tus enseñanzas que a todas horas medito en ellas!».

(Diga a los niños que van a «leer» un versículo de la Biblia. Al decir esto muestre su Biblia. Dígales que usted ha colocado el versículo en unas cartulinas que ha escondido por todo el salón [ver anexo 3.a]. Pida a los niños que las busquen hasta encontrarlas, y que las coloquen en orden de acuerdo al número que tienen las frases en la parte de atrás. Usted deberá esconder las frases que componen el versículo previo a la clase. Puede utilizar la siguiente versión del versículo: «Todo lo que está escrito en la Biblia es el mensaje de Dios, y es útil para enseñar a la gente, para ayudarla y corregirla, y para mostrarle cómo debe vivir». 2 Timoteo 3:16-17.

(Lea el versículo con los niños y explíqueles que la Palabra de Dios —la Biblia— es la que nos enseña a vivir y nos corrige para ser más parecidos a Dios).

5. Orar por otros/Interceder: (Pegue en la pared la lámina correspondiente a orar por otros [Ver lámina 3.6]).

Drama del bombero

Sacar a los niños fuera del salón al aire libre. Allí habrá una casa hecha de cartón, con una ventana grande[ver anexo 3.b]. La casa parece estar quemándose mientras se ve a una persona pidiendo ayuda por la ventana. Diga a los niños: «En esa casa hay una persona que necesita nuestra ayuda, y la mejor forma de ayudarla es llamando a un bombero. En el salón que está cerca hay un bombero, pero sólo vendrá si lo llamamos con gritos fuertes». (Alguien toca a la puerta del salón mientras se les dice a los niños que griten /// ¡BOMBERO! ///. Finalmente, el bombero sale por la insistencia de los chicos y apaga el fuego. La persona que estaba en la casa sale, y agradece al bombero y a los niños por haberla ayudado). Al finalizar esta actividad pregunte a los niños: «¿Por qué vino el bombero a apagar el fuego?». (Permita que los niños respondan lo que piensan). «El bombero vino a apagar el fuego porque ustedes le llamaron con mucha insistencia, fuertemente, y sin cansarse. ¡De la misma manera debemos orar por los demás!».

«Cuando vemos que alguien está enfermo o no tiene qué comer, o vemos que no conoce al Señor Jesús, debemos pedirle a Dios —con fuerza e insistencia— para que venga a rescatarlo. Pedimos con insistencia que si está enfermo lo sane, si está sin comer le provea alimento, y si no conoce a Dios, oramos paraque Él lo salve».

«En este momento de tu tiempo a solas con Dios puedes orar por otras personas que conoces y sabes que tienen necesidades materiales o no conocen al Señor. Puedes orar por las naciones y por algunas necesidades que tú mismo tengas como por ejemplo, que Dios te ayude a ser un hijo obediente. Además, puedes pedirle a Dios que te hable y te diga por qué cosas orar».

Busque una noticia en el periódico que sea corta y que muestre una necesidad. Luego diga: «Hoy vamos a orar sobre algo que dice el periódico. Yo he traído una noticia que habla de una necesidad de nuestro país. Ahora se la voy a contar, y luego vamos a orar para que Dios intervenga en esta situación». (Diga la noticia a los niños en palabras comprensibles y luego oren juntos. Puede animar a los niños a repetir la oración después de usted, o a decir algunas palabras que broten del fondo de sus corazones).

6. **Dar gracias:** (Pegue en la pared la lámina correspondiente a dar gracias [ver lámina 3.7]).

«Siempre debemos estar agradecidos por todo lo que Dios ha hecho y sigue haciendo por nosotros. Nunca debemos cesar de dar gracias. Como hemos llegado al final de nuestro tiempo con Dios, démosle gracias por este tiempo tan maravilloso y porque sabemos que Él va a contestar nuestras oraciones». (Dar gracias a Dios en grupos pequeños o todos juntos. Es importante que un líder dirija la oración para enseñar a los niños cómo hacerlo).

Recomendamos la siguiente canción interpretadas por Mrs. Vani: «Gracias, muchas gracias». La pueden adquirir en iTunes.

CIERRE:

Aplicación/Resumen

«Conocemos a una persona cuando pasamos más tiempo con ella. Conoceremos más a profundidad a Dios, mientras más tiempo pasemos con Él. Vamos a repasar los 6 pasos del tiempo a solas con Dios que hemos aprendido en el día de hoy: limpiar nuestro corazón, adorar, callar las voces, leer y meditar la Biblia, orar e interceder y dar gracias». (Permita que los niños repitan estos 6 pasos hasta memorizarlos).

Maestro: «¿Pasan ustedes un tiempo con Dios cada día? ¿Qué tal si le prometemos a Dios que pasaremos tiempo con Él todos los días para conocerle mejor y así ser mejores amigos?». (Haga una oración que lleve a los niños a comprometerse con Dios en buscarle y conocerle).

MANUALIDAD:

Usted necesitará:
- Lápices de colores.
  - ▶ Compare o coteje los pasos del tiempo a solas con Dios (ver anexo 3.c)

(Los niños harán una comparación de los pasos del tiempo a solas con Dios, con la acción correspondiente).

Intercesión

Lección 4

Intercesión
(Clases niños 4-7 años)

TIEMPO: 1 hora.

OBJETIVOS:

- ▶ Definir qué es la oración intercesora.
- ▶ Aprender los pasos para la intercesión.
- ▶ Animar los niños a trabajar en equipo con Dios a través de la intercesión.
- ▶ Practicar los pasos de la intercesión.

VOCABULARIO:

- ▶ Interceder:

Mediar por otro. (Diccionario de la lengua española © 2005 Espasa-Calpe).
Hablar en favor de alguien para conseguirle un bien o librarlo de un mal. (Diccionario de la Real Academia Española, vigésima segunda edición).
Mediar; interponer; hacer intercesión; actuar entre las partes con vista a traer reconciliación entre aquellos que difieren o contienden. (Diccionario Webster, 1828).

IDEA PRINCIPAL:

- ▶ Cuando intercedemos, estamos trabajando en equipo con Dios.

ESCRITURA BÍBLICA:

- ▶ Ezequiel 22:30-31: «Yo he buscado entre ellos a alguien que los defienda; alguien que se ponga entre ellos y yo, y que los proteja como una muralla; alguien que me ruegue por

ellos para que no los destruya. Pero no he encontrado a nadie. Por eso voy a descargar sobre ellos mi enojo; voy a consumirlos por completo con el fuego de mi ira. ¡Me las pagarán por todo el mal que han hecho! Les juro que así será».

Contenido de la lección

ACTIVIDAD DE INICIO:

Opción #1

- ▸ 3 Bolas/pelotas de papel (tamaño bola de béisbol).
- ▸ Balones (baloncesto, voleibol, fútbol).
- ▸ Juguetes (de diferentes clases).
- ▸ Libros (varios, 5 aprox.).

Opción #2

- ▸ Papeles (uno para cada niño).

Opción # 1-Instrucciones

Coloque en un extremo del salón varios objetos como bolas de papel, balones, juguetes, libros, etc. Dichos objetos representarán obstáculos que impedirán el paso de las personas para que lleguen a un hospital para ser atendidos. Pídales a los niños, uno a la vez, que quiten todos los obstáculos al otro lado del salón [de no tener tiempo suficiente para que todos los niños participen, puede pedir dos o tres voluntarios]. Luego coloque a los niños en una línea de un extremo del salón al otro, y pídales que se pasen los objetos, uno a otro.

Muéstreles a los niños cómo se avanza más y se es más eficiente cuando todos trabajan en equipo. Al terminar la actividad pregúnteles: ¿Cuándo movimos más rápidos los obstáculos y fuimos más eficientes para quitarlos? (Permita que los niños respondan). Muy bien: fuimos más rápidos y eficientes cuando todos trabajamos en equipo para sacar los obstáculos que impedían que las personas fueran al hospital. De la misma manera, Dios quiere trabajar con nosotros en equipo. Él ha decidido que tú y yo trabajemos juntos para que Él pueda hacer grandes milagros.

Opción #2-Instrucciones

Para esta actividad los niños tendrán como objetivo llegar a una meta, pero no pueden pisar el suelo y necesitan trabajar en equipo para lograrlo. Coloque en un extremo del salón la palabra SALIDA y en el otro extremo la palabra META. Coloque a cada participante en una fila y reparta una hoja de papel a cada uno de ellos diciendo: «Necesitamos llegar todos al otro lado del salón donde dice META. Pero no podemos tocar el suelo con nuestros pies y tenemos que trabajar unidos como equipo. ¿Cómo lo podremos lograr?». Espere las ideas de los niños y ayúdeles hasta que puedan pensar en utilizar las hojas de papel que tienen en sus manos para crear «un puente». Enséñeles que el primero de la fila puede colocar su papel en el piso y pararse encima de este; el segundo en la fila puede pasarle el papel al primero en la fila quien lo pondrá en el suelo frente a él, y asípermitirá que el segundo se pare en el papel que quedó vació. El tercero en la fila pasará su papel al segundo, quien lo pasará al primero de la fila, y este lo colocará en el suelo frente a él. Así cada niño pasará su papel, permitiendo que los que vienen detrás se muevan sobre los papeles vacíos y así avanzan sucesivamente hasta que logren llegar todos a la meta. Al terminar la actividad pregúnteles: ¿Cómo logramos utilizar las hojas de papel hasta llegar a la meta? (Permita que los niños respondan. Diríjalos a pensar en el trabajo en equipo).

Luego dígales: «Logramos llegar a la meta gracias a que todos trabajamos en equipo, poniendo cada uno nuestra hoja de papel, y esperando pacientemente nuestro turno para avanzar de papel en papel. Dios también desea que tú y yo trabajemos juntos, unidos como equipo, para que Él pueda hacer grandes cosas alrededor del mundo».

DESARROLLO:

Usted necesitará:

- Rótulo de la palabra del vocabulario «INTERCESIÓN» (Lámina 4.1).
- Cinta adhesiva.
- Láminas con los pasos de la intercesión:

  ▸ Corazón limpio (Lámina 4.2).

  ▸ Adoración (Lámina 4.3).

  ▸ Callar las voces (Lámina 4.4).

  ▸ Guía del Espíritu Santo (Lámina 4.5).

  ▸ Gracias en fe (Lámina 4.6).

  ▸ Esperar en silencio (Lámina 4.7).

  ▸ Orar (Lámina 4.8).

  ▸ Dar gracias (Lámina 4.9).

«¡Qué oportunidad tan maravillosa es poder formar parte del equipo vencedor de Dios! ¿Y saben cómo podemos comenzar a ser parte del equipo de Dios? A través de la intercesión».

«La intercesión es una forma de oración donde pedimos en favor de otros para que Dios les conceda un bien o los libre de un mal. En la oración de intercesión, Dios nos muestra algunas necesidades de otros para orar por ellas y así trabajar en equipo con Él. (Mostrar la palabra "INTERCESIÓN" [ver lámina 4.1]. Pegar la palabra "INTERCESIÓN" (en el cofre de las palabras de vocabulario). Cuando intercedemos estamos trabajando en equipo con Dios para que Él pueda hacer grandes milagros alrededor del mundo».

«¿Se acuerdan cuando hablamos de los pasos para tener un tiempo a solas con Dios? En uno de los pasos hablamos un poco acerca de la oración por otros o la intercesión. ¿Se acuerdan de la actividad del bombero?». (Permitir que los niños respondan cómo llegó el bombero). «Cuando ustedes gritaron por la ayuda del bombero para que salvara a la persona que estaba dentro de la casa, ustedes trabajaron en equipo. Así mismo, Dios desea que pidamos su ayuda para otros. Recuerda: la Intercesión consiste en orar por otros y no por ti mismo. Dios nos dice en la Biblia que está buscando personas que intercedan por otros para actuar a favor de ellos. Dios está buscando personas que quieran trabajar en equipo con Él para cambiar la historia». (Buscar Ezequiel 22:30 y leerlo a los niños. Si desean, pueden subrayarlo en sus Biblias).

«¿Qué les parece si tú y yo nos convertimos en esas personas que Dios está buscando para ser parte de su equipo, intercediendo a favor de otras personas, países y naciones?». (Anime a los niños a ser parte de los intercesores que Dios está buscando). «Ahora vamos a aprender cuáles son los pasos para la oración intercesora». (De antemano, coloque en la pared las láminas de los pasos de la oración intercesora [ver láminas 4.2 – 4.7] en desorden, de manera que no se vea el paso sino el número del paso en la parte de atrás. Al momento de comenzar a discutir los pasos pregunte a los niños cuál número va primero. Permita que ellos respondan y pídale a uno de los niños que despegue la franja con el número indicado. Lea la franja y proceda a explicarla. Luego pregunte a los niños qué número le sigue al 1, y permita que uno de ellos tome la franja y la pegue debajo de la anterior. Repita este proceso hasta que termine de explicar todos los pasos. Es importante considerar que los primeros tres pasos de la intercesión son similares a los del tiempo a solas con Dios, por lo que se tocarán a modo de repaso. También podrá practicar cada paso a medida que lo enseña a sus estudiantes o practicarlo el próximo día en el tiempo indicado en el horario).

1. Corazón limpio (ver lámina 3.2): El primer paso para interceder es «tener un corazón limpio». ¿Recuerdan dónde vimos la importancia de tener un corazón limpio? (Permitir que los niños respondan). Hablamos de esto en el Tiempo a solas con Dios. Es muy importante que examinemos nuestro interior y permitamos que Dios nos diga si hemos cometido algún pecado. Así podremos arrepentirnos.

2. Adoración (ver lámina 4.2): Cuando ya tenemos un corazón limpio podemos alabar y adorar a Dios por lo que Él es. Hasta ahora, ¿qué me pueden decir de cómo es Dios? (Animar a los niños a contestar de acuerdo a lo que han aprendido sobre Dios en las clases del Rey y su Reino. La maestra puede hacer referencia a las imágenes pegadas en la pared, referentes a las cualidades del carácter de Dios).

«¿Recuerdan que este paso también forma parte del tiempo a solas con Dios?». (Permitir que los niños respondan). «Recuerden que hay muchas maneras de demostrarle a Dios que le amamos: cantando, leyendo la Biblia, diciéndoselo con nuestras palabras, dibujando, ayudando a otros, etc.».

3. Callar las voces (ver lámina 3.4): Al terminar de adorar a Dios podemos pasar al siguiente paso que es «callar las voces.» ¿Recuerdan que este paso también lo hacemos cuando vamos a tener un tiempo a solas con Dios? ¿Quién recuerda las voces que debemos callar? (Permitir que los niños respondan). Muy bien. Debemos callar la voz del enemigo en el nombre de Jesús, y también nuestra propia voz. Esto lo hacemos porque la única voz que deseamos escuchar es la voz de Dios.

Recomendamos la siguiente canción interpretada por Mrs. Vani: «Más que vencedor; No temeré». La pueden adquirir en iTunes.

4. Guía del Espíritu Santo (ver lámina 4.3): (Divida a los niños en parejas. Uno de los niños tendrá los ojos vendados y el otro tendrá la responsabilidad de guiarlo tomándolo de la mano. El recorrido puede ser salir del salón, dar una vuelta por el patio y regresar al salón. Una vez regresen al salón el maestro les dirá: «Imagínate que, con los ojos vendados, tuvieras que caminar sólo. Esto sería muy difícil. Pero tu compañero te ayudó guiándote, porque él podía ver lo que tú nopodías ver». Así mismo es la intercesión. Tú no puedes ver todas las situaciones que ocurren alrededor del mundo, pero el Espíritu Santo sí. Para poder interceder orando por aquellas cosas que están en el corazón de Dios necesitamos que el Espíritu Santo nos guíe. En este momento puedes orar diciendo: «Espíritu Santo, quiero depender de ti. Guíame para orar por aquellas cosas que están en el corazón de Dios, y enséñame cómo debo orar». (Puede decir a los niños que repitan esta oración).

5. Gracias en fe (ver lámina 4.4): Después de decirle al Espíritu Santo que necesitamos que Él nos guíe, le damos las gracias confiando en que Él nos va a revelar aquellas cosas por las cuales debemos orar. Podemos orar así: «Gracias Dios, porque sabemos que nos vas a decir por qué cosas debemos orar». (Puede decir a los niños que repitan esta oración con sus manos alzadas hacia el cielo).

Recomendamos la siguiente canción interpretada por Mrs. Vani: «Gracias, muchas gracias». La pueden adquirir en iTunes.

6. Esperar en silencio (ver lámina 4.5): Ahora llegó el momento más emocionante porque al esperar en silencio vamos a escuchar aquellas cosas por las que Dios quiere que oremos. Tal vez escuches la voz de Dios, o tal vez recibas una imagen de alguien en tu mente. No te preocupes si al principio no recibes nada. Poco a poco aprenderás a escuchar la voz de Dios.

7. Orar (ver lámina 4.6): Cuando Dios nos muestre por qué debemos orar, lo compartimos en nuestro grupo y luego oramos. ¿Se acuerdan de la actividad del bombero? ¿Cómo tuvieron que llamarlo? (Permitir que los niños respondan). Correcto. Tuvieron que llamarlo con insistencia porque la casa se estaba quemando. Así mismo debemos orar cuando intercedemos por las personas o los países.

8. Dar gracias (ver lámina 4.7): Al finalizar daremos gracias a Dios por todo lo que Él ha hecho, seguros de que Él contestará nuestras oraciones.

«Ahora sabemos los pasos que nos servirán de guía para la oración de intercesión. Cuando intercedas, necesitas una Biblia y una libreta donde anotar lo que Dios te muestre. Por ahora tu líder anotará en tu libreta personal, pero cuando aprendas a escribir, tú mismo podrás llevar un registro de aquellas cosas que Dios te mostró durante la oración de intercesión».

Nota: (El maestro puede utilizar este momento para enseñarle a los niños acerca de la oración Daniel [Ver anexo 4.a]).

CIERRE:

Usted necesita:

> ▸ Separadores o marcadores de libros (deben ser de cartulina para que sean fuertes [Anexo 4.b]).
> ▸ Hojas con las imágenes que se utilizaron en los pasos de Intercesión (ver anexo 4.c).
> ▸ Pegante.
> ▸ Crayolas o lápices de colores.

Aplicación/Resumen

«Al convertirnos en intercesores vamos a estar trabajando en equipo con Dios. Hay muchas personas que necesitan una oración para que Dios les ayude. La intercesión es una actividad muy emocionante porque aprendemos a escuchar la voz de Dios y formamos parte de lo que Él hace en el mundo. Luego de la actividad de hoy vamos a tomar un tiempo para practicar la oración intercesora en grupos pequeños».

MANUALIDAD:

Cada niño tendrá un marcador o cartón grueso (ver anexo 4.b) con los pasos para la Interce-sión previamente impresos y los dibujos que corresponden a cada paso (ver anexo 4.c). Los

niños deben recortar y pegar el dibujo al lado de cada paso de la Intercesión. Si tienen tiempo, el maestro puede permitir que los niños coloreen su marcador. Asegúrese de que cada marcador tiene el nombre del niño. Una vez terminada esta manualidad los niños guardarán el marcador en su cofre.

Motivos del corazón

Lección 5

Motivos del corazón

(Clases niños 4-7 años)

TIEMPO: 1 hora y media.

OBJETIVOS:

- Reconocer qué es un motivo.
- Aprender que existen sólo dos motivos que dirigen nuestras acciones: el amor/Dios vs. el egoísmo/Yo.
- Examinar la motivación del corazón.
- Escoger a Dios como la motivación que dirige sus vidas.

VOCABULARIO:

- Motivo:

Lo que incita a la acción; lo que determina la decisión o mueve la voluntad. (Diccionario Webster, 1828). Causa o razón que mueve hacia algo (Diccionario de la Real Academia Española, vigésima segunda edición).

- Corazón:

El asiento de la voluntad; por consiguiente, los propósitos, intenciones y designios secretos (Diccionario Webster, 1828). Centro de algo. (Diccionario de la Real Academia Española, vigésima segunda edición).

- Amor:

Es la elección fundamental de buscar el bienestar máximo de Dios y del hombre. (El amor: la base de todo, por: J.W. Jepson).

IDEA PRINCIPAL:

> El amor debe ser el motivo de mi corazón.

ESCRITURA BÍBLICA:

> 1 Corintios 4:5: «Por eso, no culpen a nadie antes de que Jesucristo vuelva. Cuando él venga, dará a conocer todo lo que está oculto y todo lo que piensa cada uno de nosotros. Entonces Dios nos dará el premio que merezcamos».

Contenido de la lección

ACTIVIDAD DE INICIO:

Usted necesita los siguientes materiales:

- Un corazón gigante de papel estraza (de envoltura) pintado de color rojo. (Debe ser lo suficientemente grande para que tape la puerta como si fuera una cortina que los niños tienen que atravesar).
- Vestuario de doctor (puede ser una bata blanca con un estetoscopio de juguete).
- Otro corazón grande (puede ser hecho de papel estraza o cartulina; debe de tener el tamaño suficiente para colocar sobre una silla).

(Reúna a los niños fuera del salón. Coloque en la entrada del salón el corazón gigante pintado de color rojo, por dónde todos los niños tienen que pasar para entrar al salón). A la entrada del salón habrá una persona [puede ser el maestro] vestido de doctor. Todos estarán fuera del salón de clase. El doctor(a) saludará a los niños: «Buenos días, ¿Cómo están? Soy un doctor(a) y estoy aquí con ustedes en el día de hoy porque vamos a estudiar una de las partes más importantes del ser humano: el corazón».

(El doctor comienza a pasearse entre los niños y les observa los oídos, los ojos, la cabeza, etc., como si estuviera buscando «la parte más importante del cuerpo»). «Muy bien —dice el doctor—. Como ustedes ya sabían, la parte más importante del ser humano no se puede ver a simple vista. La parte más importante del ser humano es el corazón. Pero escuchen bien. No hablo del corazón que bombea la sangre. Hablo de ese centro misterioso y secreto que contiene todos nuestros deseos, y todo lo que pensamos y hacemos. A este centro lo llamamos corazón».

(A la entrada del salón habrá un corazón grande, colocado en el piso, con una silla encima).

DESARROLLO:

Usted necesitará los siguientes materiales:

- Estetoscopio (el mismo que se utilice para el vestuario de doctor; puede ser hecho de cartón.)
- Rótulo que diga «Motivos del corazón». (Lámina 5.1)
- Rótulo de la palabra MOTIVO (Lámina 5.2).
- Sillas (según la cantidad de niños, se utilizarán para jugar el juego de la silla).
- Camisa blanca o túnica blanca (para vestir al personaje que representará a Jesús en un drama).
- Rótulo «DIOS» (Lámina 5.3).

- Rótulo «YO» (Lámina 5.4).
- Rótulo «AMOR» (Lámina 5.5).
- Rótulo «EGOISMO» (Lámina 5.6).
- Necesita también dos marionetas, o puede utilizar dos muñequitos hechos de papel con palitos de madera. Serán usados para representar un drama, pero también se puede hacer con niños voluntarios.

Maestro: «Hoy vamos a aprender sobre los motivos del corazón. ¿Por qué haces lo que haces? Siempre existe un motivo». (Luego el maestro mostrará el rótulo que dice «Motivos del corazón». [ver lámina 5.1]).

(El maestro pedirá 3 voluntarios para que pasen al frente y a cada uno le hará una pregunta. Fingiendo examinarlos, el maestro utilizará el estetoscopio para que cuando los niños respondan pareciera que hay algo dentro de su cuerpo).

Pregunta al niño No.1: «¿Por qué te pusiste esa camisa hoy?» —Permita que el niño responda libremente. Algunas respuestas pueden ser: porque me gusta el color, porque es cómoda, porque es bonita, etc. Cuando el niño responda, el maestro dirá: «Creo que estoy escuchando un motivo».

Pregunta al niño No.2: «¿Por qué desayunaste hoy?» —Permita que el niño responda. Algunas respuestas pueden ser: porque tenía hambre, porque me encanta el huevo, etc. Cuando el niño responda, el maestro dirá: «creo que estoy escuchando un motivo».

Pregunta al niño No.3: «¿Por qué viniste al campamento?» —Permita que el niño responda. Algunas respuestas pueden ser: porque mis papás me dijeron, porque quiero aprender, porque quiero conocer nuevos amigos, etc. Cuando el niño responda, el maestro dirá: «creo que estoy escuchando un motivo».

Maestro: «Cada uno de estos niños dijeron un motivo por el cuál hicieron algo. El primero nos compartió el motivo por el cual se puso la camisa, el segundo nos dijo el motivo por el cuál desayunó y el tercero el motivo por el cual vino a este campamento. Un motivo es la razón por la cual hacemos las cosas». (Mostrar rótulo de la palabra de vocabulario MOTIVO y pegarlo en el cofre [ver lámina 5.2]).

Por ejemplo: Me como una fruta porque tengo hambre. ¿Cuál fue el motivo de comerme la fruta? (Permitir que los niños respondan). Muy bien; porque tenía hambre. (Puede añadir más ejemplos hasta que vea que los niños entendieron.) Un motivo es la razón por la que hago algo.

Antes dijimos que íbamos a conocer la parte más importante del ser humano que es el corazón. Pero no el corazón que bombea la sangre, sino el que contiene los secretos más importantes. ¿Para qué estudias? ¿Para qué oras? A la respuesta se le llama «el motivo del corazón».

Para entender esto vamos a jugar el juego de la silla.

Instrucciones:

Coloque una silla menos de la cantidad de jugadores, es decir, si hay cinco jugadores se colocan cuatro sillas. Acomode las sillas en una línea. Una silla irá mirando para el frente, la siguiente para atrás, y así sucesivamente. El juego consiste en que al sonar la música los jugadores comenzarán a dar vueltas alrededor de todas las sillas, y cuando la música se detenga los jugadores deben sentarse en la silla más próxima. El jugador que quede sin silla se elimina. Ahora se quitará otra silla y se continuarán quitando durante el transcurso del juego hasta que solo quede una. Gana el jugador que se siente en la última silla que quede.

Maestro (al término del juego): «¿Cuántas personas caben en una silla?». Permita que los niños respondan. Sólo cabe una persona. Bueno, así es el corazón (el centro más importante de nuestras vidas.) El corazón es como una silla en la cual sólo cabe una persona. Quien se siente en esta silla ocupará el motivo más importante de nuestro corazón. Este motivo es la razón por la cual vivimos.

Para ponerte una camisa o para desayunar pueden existir muchos motivos, pero para decidir el verdadero motivo del corazón sólo hay dos opciones. Veamos el siguiente drama:

Drama: (Para este drama se pueden utilizar marionetas. Se necesitarán dos personajes y una silla que representará el trono del corazón).

Niño: Entra un niño y se sienta en la silla del corazón y dice: «Qué bien se siente uno cuando está en control de todo y hace lo que quiere. Al fin y al cabo se trata sólo de mí, de si soy feliz o no. Mi meta en la vida es ser feliz. Voy a la escuela para ser feliz, tengo amigos para ser feliz, y soy cristiano para ser feliz...».

Jesús: Entra un hombre con una camisa blanca representando a Jesús. Jesús le hace señas al niño de que quiere sentarse en su silla.

Niño: El niño, después de un rato, capta el mensaje y dice: «¡Oh! ¡Claro que sí! Ven y siéntate conmigo». (El niño le ofrece una esquina de la silla).

Jesús: Jesús le hace señas de que no pueden sentarse los dos en la misma silla.

Niño: Entonces el niño cede la mitad de la silla y dice: «Está bien, está bien. Lo aceptaré, eres Jesús, ¡así que te daré la mitad de mi silla!».

Jesús: Jesús lo mira con tristeza y le hace señas de que necesita la silla.

Niño: El niño se molesta y le grita: «No te voy a dar toda la silla porque entonces me tengo que salir... este es mi trono... Así que por favor, siéntate en esta mitad o ¡Vete!».

Jesús: Jesús se va triste y sale del salón.

Niño dice: «¡Sólo una persona cabe en la silla!»... (Y se va del salón.)

Al terminar el drama el maestro pregunta: «¿Qué pudieron aprender en este drama?». (Dejar que los niños respondan). Luego el maestro dice: «En el drama hemos visto que en el corazón del niño había una silla (o trono)». (Haga que todos vean la silla y el corazón que están ahí). Recuerden que el corazón, es el centro de su vida porque ahí están los motivos de todo lo que haces. Vimos que el niño estaba sentado en el trono de su corazón, y luego vino Jesús y le pidió que lo dejara sentarse en ese trono. Pero el niño no lo dejó. Aquí podemos ver los dos motivos que tenemos en el corazón: o es Dios primero, o eres tú mismo. La Biblia dice que «nadie puede servir a dos señores». Nosotros debemos vivir sólo a Cristo, y de eso van a depender las decisiones que tomemos. Cada uno de nosotros podemos decidir vivir nuestras vidas para nosotros mismos (para el YO), o para DIOS. Podemos dejar que Dios se siente en el trono de nuestros corazones. (coloquen el rótulo «DIOS» en la silla [ver lámina 5.3]). O podemos sentarnos nosotros mismos en el trono de nuestros corazones (colocar el rótulo «YO» en la silla [ver lámina 5.4]).

«Si decidimos sentarnos nosotros mismos en el trono de nuestro corazón (volver a colocar el rótulo "YO") estaremos viviendo en egoísmo. Egoísmo es buscar lo mejor para ti. El amor es buscar lo mejor para otros. ¿Se acuerdan del niño del drama? Él decía que él iba a la escuela, y tenía amigos para ser feliz. Él quería hacerse feliz a sí mismo. Ese niño era egoísta. Una persona egoísta hace cualquier cosa para ser feliz sin importarle el sufrimiento de los demás».

«Cuando decidimos vivir para Dios, (volver a colocar el rótulo "DIOS") estamos viviendo en amor». (Pregunte a los niños si recuerdan lo que es el amor y permita que todos respondan). «Amor es buscar lo mejor para Dios y para los demás. Es poner a los demás antes que a ti. Por ejemplo, vamos a hacer la fila para almorzar; ¿es amoroso ponerme adelante de otros en la fila? No. ¿Estoy buscando lo mejor para ellos? NO. Lo más amoroso es irme al último puesto de la fila. O, imagínate que estamos en la hora de recreo y vienen a repartirnos jugos. Si yo me coloco de primero, olvidándome de los demás, ¿estoy siendo amoroso? ¿Estoy buscando lo mejor para los demás? No. O si tengo mi cuarto desordenado y no ayudo a mamá, ¿la estoy amando de verdad? No».

(El maestro permitirá que los niños opinen en cada ejemplo. Los niños deben llegar a esta conclusión: Si Dios es quien se sienta en el trono de tu corazón, todo lo que tú hagas será en amor).

«Entonces, si decidimos vivir para Dios estaremos viviendo en amor». (Colocar rótulo «AMOR» [ver lámina 5.5] al lado del rótulo «DIOS»). «Si decidimos vivir para nosotros mismos estaremos viviendo en egoísmo». (Colocar rótulo «EGOÍSMO» [ver lámina 5.6] al lado del rótulo «YO»).

«Todo lo que tú haces en tu vida va a ser bueno o malo dependiendo de quién está sentado en el trono de tu corazón. Si está sentado el YO, tus acciones serán malas porque serán egoístas. Pero si DIOS está sentado en el trono de tu corazón, todo lo que hagas será bueno porque será amoroso (hecho con amor)».

«La Biblia dice que cuando el Señor venga por nosotros, Él va a dar a conocer el motivo de tu corazón, mostrando si era amoroso o egoísta. Eso es lo más importante para Dios».

Drama: (El siguiente drama puede hacerse con dos marionetas o con láminas de dos niños: Uno será Carlos y el otro Miguel. Se necesitará un narrador, quien contará la historia de cada uno de los jóvenes tal como aparece en el diálogo. Al final se les pedirá a los niños que hagan la votación para elegir al que gane el puesto).

Narrador: «Con su permiso maestro y niños, perdonen la molestia, pero necesito su ayuda. Estoy reclutando gente para mi equipo de misiones y sólo me queda un puesto. Tengo dos personas a quienes les puedo dar este puesto, pero tengo un problema porque se parecen muchísimo. Por favor, ¡que entre Carlos, el primer concursante!». (Enseguida entra Carlos, como modelando en una pasarela).

Narrador: «Carlos es fuerte y alto. Le gusta comer frutas, así que es muy saludable. Le gusta leer y estudiar porque quiere ser maestro cuando sea grande. ¡Aplaudan por favor!».

Narrador: «Ahora miremos a nuestro segundo concursante, ¡Miguel!». (Entra Miguel como modelando en una pasarela).

Narrador: «Aquí tenemos a Miguel. Él también es fuerte porque hace muchos ejercicios. No le gusta comer dulces porque le hacen daño al cuerpo. Le gusta aprender cosas nuevas porque también quiere ser maestro cuando sea grande. ¿Ven chicos, cuán difícil es la decisión? Ambos son muy buenos y tienen casi las mismas metas. ¿Qué tal si los entrevistamos? Vamos a hacerles unas preguntas. La primera pregunta es: ¿Qué haces todos los días al levantarte?».

Carlos: «Bueno, lo primero que hago es tender o recoger mi cama. También la de mi mamá. Me gusta que todo esté organizado».

Narrador: «¡Wow! ¡Tremenda cualidad!». (El narrador mira a los estudiantes y susurra: «Yo no sabía que Carlos era tan organizado, ¡para mí eso es una tremenda cualidad!». (Luego el narrador se voltea hacia los concursantes y se dirige a Miguel): «¿Y tú? ¿Qué haces todos los días al levantarte?».

Miguel: «Yo hago el desayuno para toda la familia. Siempre hago esto para ayudar a mi mamá. Así se ahorra tiempo».

Narrador: «¡Wow!» (Mirando a los estudiantes, susurra: «¿Vieron eso?». ¡Le hace desayuno a toda la familia!)

El narrador (se voltea hacia los niños): «¡Tenemos dos buenos concursantes!». Aquí va la próxima pregunta: «¿Qué quieres hacer con tu vida?».

Carlos: «Yo quiero ser maestro. Me gustaría abrir una escuela en África para que muchos niños tengan la oportunidad de estudiar».

Miguel: «Yo también quiero ser maestro. Me gustaría inventar un programa de enseñanza gratis para los que no tienen dinero».

Narrador: «¡Admirable!, Ambos quieren dedicar sus vidas a ayudar a otros. Voy a hacer la última pregunta y después haremos una votación. Los niños dirán a quién debo escoger y por qué. La última pregunta es: ¿Por qué motivo haces lo que haces? ¿Por qué quieres ser maestro, dedicar tu vida a otros, y ayudar en tu casa?».

Carlos: «Es que yo nací para esto. Cuando hago cada una de estas cosas soy muy feliz. ¡No hay nada más que me haga tan feliz!».

Miguel: «Yo hago todo para hacer feliz a Dios. Sea algo grande como ser maestro, o sea algo pequeño como hacerle desayuno a mi familia, lo hago porque amo a Dios».

(El narrador tomará los rótulos de DIOS y YO, le dará a Carlos el de YO y a Miguel el de DIOS).

Narrador: «Bueno, llegó la hora de votar. Ayúdenme chicos. ¿A quién debo escoger?».

(Dejar que los niños hablen y respondan. Una vez los niños escojan, el narrador da las gracias y se va del salón).

Maestro: «¿Por qué escogieron a Miguel?». (Se espera que los niños hayan escogido a Miguel porque la motivación de su corazón es el amor). «Escogimos a Miguel porque desea agradar a Dios. Porque la motivación de su corazón es Dios. Aunque nadie ve la motivación del corazón a simple vista, esto es lo que más le importa a Dios».

CIERRE:

Aplicación/Resumen

«Aunque nadie vea la motivación secreta de tu corazón, Dios si la ve. Por eso vamos a tomar un tiempo para examinar nuestro corazón. Pregúntate con sinceridad: ¿Por qué haces lo que haces? ¿Para quién lo haces? ¿Para quién estás viviendo? ¿A quién quieres hacer feliz: a Dios, o a ti mismo? ¿Te gobierna el amor o el egoísmo? Si reconoces que has vivido para ti mismo, pero quieres vivir para Dios, ponte de pie. (Invitar a los niños a que pasen al frente». Si tiene tiempo puede decirle a cada niño que vaya y se siente en la silla que está en el salón y que diga: «Ya no quiero vivir para mí, sino para Dios». [Si son muchos niños necesita colocar más sillas].

Luego de repetir esta oración, los niños se bajarán de sus sillas y se arrodillarán, y dirán): «Ahora vivo para Dios. Él será el único dueño de mi corazón».

(Los niños deben volver a sus sillas cuando todos terminen).

MANUALIDAD:

Usted necesitará:

- Tijeras y pegante.
- Manualidad (anexo 5.a)
- Hoja de trabajo «Motivos del corazón» (una por niño [anexo 5.a]).
- Papel estraza de envoltura, rojo, con un corazón dibujado (Un corazón para cada niño [ver anexo 5.a]).
- Tijeras (Suficientes para cada niño).
- Pegante.

Proveer a cada niño una hoja de papel de construcción rojo con un corazón previamente dibujado. Permita a los niños recortar el corazón y pegarlo en una hoja de papel blanco tamaño carta que diga «Jesús está sentado en el trono de mi corazón». Instruya a los niños para que peguen sólo el borde del costado izquierdo del corazón, como para hacer una tarjeta que se abra por el lado derecho. Dentro de la tarjeta, permita que los niños peguen la silueta de una silla (o trono) y peguen encima el nombre JESÚS.

Recomendamos la siguiente canción interpretada por Mrs. Vani: «¿Qué haría Jesús?». La pueden adquirir en iTunes.

Conciencia limpia

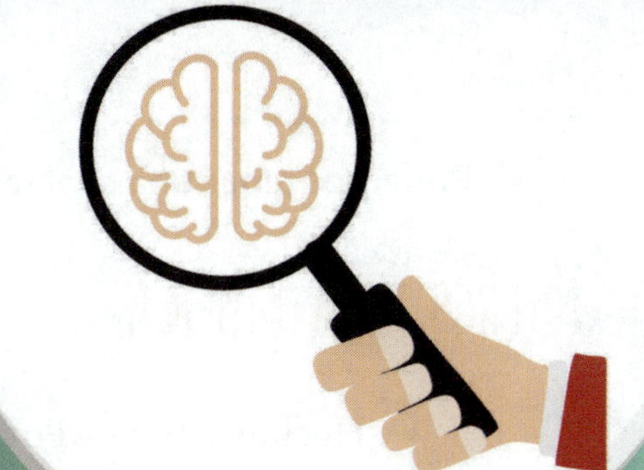

Conciencia limpia y temor de Dios

(Clase niños y adolescentes 4-7 años)

TIEMPO: 1 hora y 30 minutos.

OBJETIVOS:

- ► Reconocer qué significa contar con «temor de Dios».
- ► Aprender a cómo mantener una conciencia limpia.
- ► Entender que la conciencia se ocupa primeramente en determinar nuestro deber, antes de que procedamos a la acción, y después en juzgar nuestras acciones cuando las llevamos a cabo.
- ► Reconocer que la manera en que alguien cuide su propiedad interior determinará cómo cuidará su propiedad exterior.

VOCABULARIO:

- ► Conciencia:

Es aquello que aprueba o condena nuestras acciones. (Stephen McDowell).

Es la propiedad interna más sagrada que Dios nos ha dado, porque muestra lo que es recto o equivocado en nuestras acciones.

Es la habilidad dada por Dios para hacernos conocer lo malo y lo bueno; es lo que nos ayuda a hacer el bien por encima del mal

Facultad moral del hombre dada por Dios.

- ► Temor de Dios:

Es aborrecer el mal, odiar el pecado. Obedecer a Dios. Proverbios 8:13 «El temor del SEÑOR es aborrecer el mal».

IDEA PRINCIPAL:

- Podemos tener una conciencia limpia que honre a Dios, si odiamos el pecado.

ESCRITURA BÍBLICA:

- Hechos 24:16. «Por esto, yo también me esfuerzo por conservar siempre una conciencia irreprensible delante de Dios y delante de los hombres».
- Proverbios 8:13 «El temor del SEÑOR es aborrecer el mal».

DESARROLLO:

Contenido de la lección

ACTIVIDAD DE INICIO:

Usted necesitará los siguientes materiales:

- Salón oscuro (apagando las luces o sellando las ventanas con papel: cinta, papel craft).
- 2 linternas pequeñas encendidas en dos esquinas del salón de clase.
- Sirena (que suene y brille de manera intermitente en rojo).
- Pañoleta para tapar los ojos del actor.
- Biblia gigante (hecha en cartón) que tenga escrito el Salmo 16:7 «Bendeciré a Jehová que me aconseja; aún en las noches me enseña mi conciencia».
- Media barra de plastilina blanda para cada niño y una barra de plastilina dura para el maestro.
- Una piedra mediana o pequeña.
- Una bolsa de basura negra llena de papeles. Dentro tendrá un pañal con chocolate untado (simulando popó).
- Radio para poner música romántica.
- Vaso de vidrio.
- Jarra con agua.
- Gotero con isodine con el rótulo «Pecado».
- Gotero con límpido (clorox) con el rótulo «Arrepentimiento».
- Maleta.
- Láminas:
- Una profesora (Ver lámina CL.1).
- Un cerebro (Ver lámina CL.2).
- Una boca (Lámina CL.3).
- Unas manos (Ver lámina 1.7).
- Ropa.
- Un reloj.

INICIO: (10 min).

Drama: El salón de clase estará oscuro. Se hace sonar y brillar la sirena. Entra alguien disfrazada de niña, quien va tropezando con todo porque tiene una venda en sus ojos.

Niña: «¿Qué pasa conmigo? ¡No veo! ¿Por qué todo está tan oscuro?».

Entra otro personaje y dice: «¡Despierten! ¿No oyen? ¡Es la alarma despertadora! ¡Despierten! ¡Abran sus ojos! ¡Enciendan la luz de sus corazones! ¡Despierten!».

Niña: «¡Estoy cansada de la oscuridad! ¡Quiero ver!¡Dios, sácame de mi oscuridad!, ¿Por qué no escucho la alarma? ¡Despiértame! ¡Alúmbrame con tu palabra!».

La niña cae de rodillas llorando. Se encienden las luces y se le caen sus vendas. (Debe existir una cuerda de la cual la niña pueda tirar para poder hacer que la venda se desamarre y se caiga). La luz roja no deja de brillar aunque la alarma suena más suave. La niña ve a sus pies una Biblia abierta en el Salmo 16:7 que dice «Bendeciré a Jehová que me aconseja; aún en las noches me enseña mi conciencia». Lo lee en voz alta y dice: esta es la alarma despertadora, mi conciencia. La niña sale saltando sin tropezarse y se queda sentada entre los niños como para recibir la clase.

DESARROLLO: (1 hora).

Al terminar el drama el maestro le preguntará a los niños: «¿Qué le pasaba a la niña? No podía ver. ¿Por qué no veía y se tropezaba con todo? Porque tenía una venda en sus ojos. ¿Qué le pasó a la niña cuando oró a Dios? Se le cayeron las vendas. ¿Cuál era la alarma despertadora? Su conciencia».

INTRODUCCIÓN:

En la clase anterior hablamos de los motivos del corazón. La motivación del corazón, es aquello por lo cual haces lo que haces. Dios debe ser nuestra motivación y la razón por la cual hacemos todo. Si la motivación de tu corazón es traer alegría al corazón de Dios, hay dos cosas que van a ocurrir:

1. Dios te va a ayudar a mantener tu conciencia limpia.

2. Su temor va a estar sobre ti para que le obedezcas y odies el pecado.

CONCIENCIA

Ahora, ¿qué es la conciencia? (Sonará la alarma por unos segundos). Presten atención a este drama para que puedan ver lo que es la conciencia.

Drama: *Niño* (enttra): «Mmm, estas son las galletas que mamá hizo ayer. Ella me dijo que sólo podía comerlas después del almuerzo. Dentro de poco voy a comer, ¿qué tal si sólo me como una?
¡Es lo mismo!». (Se escuchará la voz de alguien hablando, será la conciencia).

Conciencia: «¡No lo hagas! El comértelas antes del almuerzo no es lo que mamá dijo; si lo haces estarías desobedeciendo».

Niño: «Pero... Pero... Pero... Ah, no importa. Sí es lo mismo, sea antes o después, me las voy a terminar comiendo. Para no sentirme mal, me voy a comer sólo una. (Se come una galleta, y después otra y luego otra...) ¡Mmm, deliciosas!... ¿Qué horas son? ¡Ah, ya mismo es la hora del almuerzo! En realidad ya no tengo hambre, estoy lleno por las galletas. ¿Qué le voy a decir a mamá?
¿Le diré que no quiero comer? No quiero que se sienta mal, ella ha estado horas preparando el almuerzo... ¿Qué le diré?».

Conciencia: «Estuviste mal al no escucharme. Estas son las consecuencias de no obedecer la voz de tu conciencia».

Mamá (entrando): «Cariño, ven a comer que ya está listo el almuerzo».

Conciencia: «Sabes que debes decirle la verdad a tu mama».

Niño: «Mamá, espera... La verdad es que no tengo hambre porque me comí las galletas que me dijiste que no comiera.

Mamá: «¿Ves? Por eso precisamente te dije que no te las comieras hasta después del almuerzo, porque se quitaría el hambre para comer algo saludable».

Niño: «Sí, me di cuenta después que lo hice, perdóname».

Mamá: «Bueno, te perdono, y gracias por decirme la verdad y no mentirme».

Conciencia: «¿Lo ves? ¿Ves que es mejor hacer lo correcto?».

Niño: «Ahora me siento tranquilo. La vocecita que escucho me dice que lo hice bien».

Mamá: «Esa vocecita que escuchas es la conciencia, debemos obedecerla siempre. Ambos se abrazan y salen del salón».

Maestro: «¿Pudieron ver lo que es la conciencia?».

Explicar y hacer referencia al drama, a medida que se mencionen las siguientes definiciones: La conciencia es esa voz interna que te dice lo qué está bien y que está mal. La conciencia es como una balanza que pesa nuestro conocimiento y nuestras acciones. Si sabemos que algo está mal ylo hacemos, no habrá balance. Si sabemos que algo está bien y no lo hacemos, tampoco habrá balance. Cuando hay desbalance, se activa la alarma. Es el regalo más valioso que Dios nos dio.

Funciones de la conciencia:
- Nos anima; antes de hacer algo bueno.
- Nos confirma; cuando hicimos lo correcto.
- Nos advierte; antes de hacer lo malo.
- Nos acusa; cuando hicimos algo que estuvo mal.

Estados de la conciencia:

Nuestra conciencia puede estar como una de estas dos cosas: (Mostrar una masa de plastilina dura y un pedazo de plastilina blanda. Repartir media barrita de plastilina blanda a cada niño. Pedir que la moldeen en forma de círculo o cuadrado.) *Decir:* «Esta plastilina representa una conciencia limpia. Esta conciencia está despierta, eso quiere decir que la persona hace lo bueno y obedece su conciencia. Cuando la conciencia está blanda, Dios nos puede dar forma a nosotros, así como podemos darle forma a esta plastilina. Ahora, cuando no obedecemos nuestras conciencias, en vez de estar blanda, se pone así de dura». (Mostrar la barra de plastilina dura). Cuando la conciencia está dura, es difícil trabajar con ella, ya que no podemos darle forma. Si seguimos desobedeciendo nuestras conciencias, se va poniendo más dura». (Mostrar la roca y pasarla a algunos para que la toquen).

«Así, Dios no nos podrá dar forma porque tenemos nuestras conciencias endurecidas. Podemos saber que nuestra conciencia está dura como esta piedra, cuando nos sentimos bien haciendo lo malo. Cuando desobedecemos a nuestra conciencia y seguimos sin ningún sentido de culpa».

Ejemplos:

Cogemos algo que no es de nosotros (robamos), y seguimos como si nada, lo vemos normal porque todos nuestros amigos lo hacen.

Desobedecemos a nuestras autoridades (padres, maestros en la escuela) y no sentimos tristeza.

No pedimos perdón a nuestros compañeros por los daños que hemos hecho.

Ahora que entendemos lo que es la conciencia y cómo funciona. Vamos a hablar sobre el temor a Dios.

TEMOR DE DIOS

Drama: Se pone música romántica de fondo. Entra una persona abrazando una bolsa de basura. (La bolsa de basura tendrá papeles dentro y un pañal con chocolate untado, simulando popó). La persona se comporta como si estuviera enamorado de la bolsa, al punto de darle un beso. Luego de abrirla poco a poco, saca con brusquedad los papeles de la bolsa y mete su cabeza dentro. Cuando sale, tiene el pañal en su mano. Lo destapa y se lo muestra a los niños (parecerá popó). Coge un poco en su dedo, se lo come, y muestra que le gustó mucho. Entonces coge más y se pasa el pañal por la cara desesperadamente, untándose del popó (chocolate). Se ve como si lo hubiera disfrutado. Luego sale del salón.

Maestro: «¡Qué desagradable es esto! ¿Cómo es posible que alguien pueda querer embarrarse con basura? Eso es asqueroso. ¡Es horrible! Así de horrible es cuando pecamos; así mismo estamos embarrando nuestro corazón. ¿Por qué pecamos entonces? 1 Porque en el corazón reina el egoísmo y no el amor. 2 Porque no tenemos el temor de Dios para odiar el pecado, para resistirlo y para obedecer a Dios».

La niña se levanta y dice: «Yo me siento muy mal, yo soy como esa persona. Necesito que Dios me limpie porque mis actitudes no han sido las correctas y he dejado de escuchar mi conciencia. ¿Qué puedo hacer para volver a escucharla?».

Maestro: «Pues siéntate, que te voy a explicar a ti y a los chicos, lo que podemos hacer para limpiar nuestras conciencias y hacer que vuelvan a funcionar. Primero les mostraré un experimento que nos ayudará a comprender esto mucho mejor».

Experimento: «En un vaso de vidrio que representa al ser humano, se vierte agua representando la conciencia como la habilidad dada por Dios para alertarnos». (Luego se toma un gotero que contiene Isodine rotulado como «Pecado» y se vierten varias gotas en el agua, describiendo algunos pecados específicos (pelear, mentir, decir malas palabras, no ayudar a la gente, no compartir).

Maestro: «Esto mismo sucede cuando el Temor de Dios no está en nuestras vidas; amamos el pecado y no vamos a Dios para que nos limpie». Cuando el agua esté oscura, se les preguntará a los chicos: «¿Creen que hay alguna solución?». (Dejar que respondan). Entonces se muestra el gotero que contiene límpido (clorox) rotulado como «Temor de Dios». Se introducen varias gotas representando nuestro arrepentimiento. Explicar que el temor de Dios produce arrepentimiento, y esto nos ayuda a ir a Dios para ser limpios.

Maestro: «El temor de Dios nos permite limpiar nuestras conciencias».

Niña: «¡Ah, ya comprendo! Yo quiero tener el temor de Dios en mí, pero ¿qué exactamente es el Temor de Dios?».

¿QUÉ ES EL TEMOR DE DIOS?

Maestro: «La Biblia dice que el temor de Dios es aborrecer el mal. O sea, el temor de Dios es odiar el pecado. Cuando odiamos algo, ¿vamos a querer hacerlo? ¡No! Si realmente odiamos el pecado, decidimos no ser egoístas, no ser orgullosos, no decir groserías, no hacer cosas malas. El temor de Dios es amar tanto a Dios, que decidimos no hacer lo que no le agrada. Solo podremos limpiar nuestras conciencias, cuando tengamos el temor de Dios. Necesitamos arrepentirnos, cambiar de dirección para no seguirnos contaminando con el pecado. El temor de Dios es obedecerle. Para que sea obediencia, tiene que ser inmediata, completa y con gozo».

Ejemplos:

- Si mamá me ordena a hacer las tareas de la escuela, y yo las hago al rato, no fui obediente.
- La obediencia es inmediata, sino es desobediencia.
- Si mamá me manda a organizar el cuarto, y yo sólo ordeno la cama y coloco todos los zapatos debajo del escritorio para que no se vean, ¿fui obediente? No, porque la obediencia es completa.
- Si mamá me manda a botar la basura, y yo lo hago de mala gana y quejándome, no es obediencia. La obediencia tiene que ser con gozo, sino es desobediencia.

ÁREAS EN QUE NECESITO EL TEMOR DE DIOS

Se sacará una maleta que contiene láminas que representarán cada área.

Maestro: «Veamos en qué áreas necesitamos desarrollar el temor de Dios: El temor al hombre». (Sacar la figura de una profesora): «Tener temor al hombre es cuando nos importa más lo que otros piensen de nosotros (compañeros, maestros, padres), que lo que Dios puede pensar».

Pensamientos (sacar un cerebro): «Dios desea que nuestros pensamientos sean puros y limpios, como los de Él».

Palabras (sacar una boca): «Nuestras palabras deben reflejar a Dios. De nuestra boca no debe salir: queja, chisme, críticas, palabras groseras, etc».

Acciones (sacar unas manos): «Lo que hacemos debe ser lo que nuestras conciencias aprueben».

Vestimenta (sacar ropa): «Debemos mostrar a Dios en cómo nos vestimos»

Tiempo (sacar un reloj): «Necesitamos el temor de Dios en cómo usamos nuestro tiempo».

CIERRE: (10-15 min) Resumen:

La conciencia es esa voz interna que nos aprueba si hacemos las cosas bien, y nos condena si hacemos las cosas mal.

Podemos tener una conciencia limpia que honre a Dios, si obedecemos lo que nos dice. El temor de Dios es odiar el pecado. La obediencia es inmediata, completa y con gozo.

AUTOEVALUACIÓN:

¿Hemos desobedecido nuestra conciencia? ¿Hemos hecho cosas malas haciendo que se vuelva dura? Necesitamos venir a Dios en arrepentimiento para que Él nos limpie y vuelva a hacer funcionar nuestras conciencias. ¿Cuántos quieren limpiar sus conciencias? Volver a hacer y explicar el experimento con Isodine y límpido. Hemos pecado y ensuciado nuestro corazón, pero si nos arrepentimos (decidir no volverlo a hacer), Dios nos perdona y limpia.

Hacer una oración dirigida:

- ▸ Pedir perdón por desobedecer la conciencia.
- ▸ Tomar la decisión de no volverlo a hacer.
- ▸ Pedirle a Dios que restaure nuestras conciencias.
- ▸ Hacer el compromiso de obedecerla a partir de ese día.
- ▸ Volver a mostrar el vaso con el agua limpia. Recordarles que ahora estamos limpios porque Dios nos perdonó y limpió.

Nuevamente sonará la alarma. Nuestras conciencias ahora están despiertas, y cuando suene en ciertas situaciones, las vamos a obedecer.

Pasar a la mesa: (5-10 min)

Hoja de registro:

Dibujarán en qué áreas de sus vidas deben tener el temor de Dios para mantener sus conciencias limpias. El maestro les recordará las áreas: Pensamientos, palabras, acciones, tiempo, vestimenta, etc.

Nombre: ____

Fecha: _______________________________

Para mantener mi conciencia limpia, debo tener el temor de Dios en las siguientes áreas de mi vida:

- ▸ Proverbios 8:13 «El temor de Dios es aborrecer el mal…».

CIERRE: Temor de Dios

Alarma encendida y sonando

HOJA DE REGISTRO:

Dar a cada niño su hoja de trabajo y crayolas, para que dibujen en qué áreas de sus vidas deben tener el temor de Dios para mantener sus conciencias limpias.

Alabanza y Adoración

LECCIÓN 6

Alabanza y adoración
(Todas las edades)

TIEMPO: 2 horas.

OBJETIVOS:

- Distinguir la diferencia entre alabanza y adoración.
- Revivir la experiencia de alabanza y adoración según el tabernáculo del Antiguo Testamento.
- Tener un encuentro íntimo con Dios.

VOCABULARIO:

- Alabar:

Es elogiar, celebrar con palabras, celebrar con cánticos, bendecir, engrandecer, ensalzar, exaltar, glorificar, loar, magnificar, pregonar, regalar, celebrar.

- Adorar:

Es reverenciar un ser que se considera divino, honrar, querer a algo o alguien extremadamente; amor muy profundo o admiración extrema.

BASE BÍBLICA:

- Éxodo 25-27, Mateo 27: 50-51: «Jesús lanzó otro fuerte grito, y murió. En aquel momento, la cortina del templo se partió en dos, de arriba abajo, la tierra tembló y las rocas se partieron».

Contenido de la lección

Preparación antes de la clase:

Antes de comenzar la clase es importante que el maestro o su ayudante preparen las estaciones por donde van a pasar todos los niños: 1) el lugar donde se quema la ofrenda, 2) el lavatorio, 3) el lugar de adoración, 4) el lugar santo, 5) el lugar santísimo.

Usted necesitará:

- Un envase resistente al fuego (puede ser una olla o recipiente de metal) (ver lámina 6.1).
- Un envase o recipiente con agua (ver lámina 6.2).
- Un extintor de fuego (en caso de emergencia).
- Gasolina o líquido inflamable y fósforos.
- Equipo de sonido con CD (mp3, iPod) con música de alabanza y adoración (si es posible, hagan una banda de músicos en vivo).
- Una cortina que separe el lugar santo del lugar santísimo.
- Una tijera (para cortar la cortina).
- El arca del pacto para el lugar santísimo (ver lámina 6.3).

ACTVIDAD DE INICIO:

Usted necesitará:

- Power Point y Proyector o Láminas.
- Lámina de un auto (Lámina 6.4).
- Lámina de un pan tostado (Lámina 6.5).

Maestro (al comenzar la clase): «Es importante que todos estemos "concentrados" porque la meta en este momento es: encontrarnos con Dios». (en este momento pueden hacer una oración implorando al Espíritu Santo).

Haciendo uso de un Power Point o de las láminas, el maestro mostrará la foto de un automóvil y preguntará: «¿Cuál es el propósito de tener este auto? (Dejar que los niños respondan). ¡Muy bien! El propósito es transportarnos. ¿Cómo sabemos esto? (Dejar que los niños respondan.) Cuando miramos el auto vemos que tiene asientos y un motor. Esto le permite a una persona manejar el auto para transportarse. El sólo diseño del auto nos revela para qué fue creado. Pero, ¿a quién debo preguntar cómo funciona? (Dejar que los niños respondan). Debo consultar a la persona que diseñó el auto».

«Cuando adquirimos un auto nuevo este viene con un manual de instrucciones que explica el diseño del automóvil y cómo funciona. Pero, ¿qué sucedería si este auto pudiera decidir que no va a transportarme? ¿Qué pasaría si el auto decidiera que es una tostadora de pan? (Dejar que los niños respondan). ¡Correcto! No funcionaría porque el auto no fue diseñado para tostar pan sino para transportar gente. De la misma manera, nosotros fuimos creados para adorar y alabar a Dios. Cuando no adoramos a Dios, es como cuando el carro quiere tostar pan. ¡Es absurdo!».

DESARROLLO:

Usted necesitará:

a. Rótulo con la palabra alabar (Lámina 6.6).

b. Rótulo con la palabra adorar (Lámina 6.7).

c. Lámina del tabernáculo con la presencia de Dios en forma de nube (Lámina 6.8).

d. Lámina del sumo sacerdote (Lámina 6.9).

e. Lámina del área de sacrificio (Lámina 6.10).

f. Lámina del altar de sacrificio y envase bronce (Lámina 6.11).

g. Lámina de los atrios (Lámina 6.12).

h. Lámina del lugar santo (Lámina 6.13).

i. Lámina del lugar santísimo (Lámina 6.14).

j. Ovejas dibujadas en papel 5" x 5" (ver anexo 6.a en la Unidad de proyectos).

Hacer uso del Power Point o de las láminas que tengan la palabra «Alabar» y «Adorar» con sus definiciones. [Ver lámina 6.6 y 6.7]. Adorar y alabar son dos cosas distintas. La palabra alabar significa elogiar, celebrar con palabras: bendecir -celebrar con cánticos - concelebrar - engrandecer-ensalzar - exaltar - glorificar - loar - magnificar - pregonar - regalar. Adorar es reverenciar un ser que se considera divino, honrarlo, querer a algo o alguien extremadamente. Es un Amor muy profundo o admiración extrema.

«En el Antiguo Testamento vemos que Dios estableció principios para que su pueblo pudiera alabarle y adorarle. Ahora vamos a revivir esos principios y le vamos a pedir a Dios que nos muestre su voluntad para adorarlo».

«¿Cómo podemos hacer esto? Cuando el pueblo de Israel vivía en el desierto, Dios estableció el tabernáculo (mostrar el Power Point o láminas a color del tabernáculo [Lámina 6.8]). Así era en el tabernáculo donde la presencia de Dios bajaba y habitaba en medio de su pueblo». (Mostrar lámina a color donde se ve la presencia de Dios en medio del tabernáculo [Lámina 6.9]). «El tabernáculo era el lugar donde iba una persona cuando pecaba contra de Dios. Esta persona debía llevar una ofrenda en señal de arrepentimiento, y allí la sacrificaba como símbolo de expiación de su pecado. La ley que Dios estableció en ese tiempo decía que si tú pecabas, tenías que llevar una oveja para sacrificarla como sustituto por tu pecado. El encargado del sacrificio era el Sumo Sacerdote (mostrar lámina de sumo sacerdote [Lámina 6.10]). El sumo sacerdote tenía una vestimenta especial con 12 piedras preciosas en el pecho que significaban las 12 tribus de Israel, y en su frente tenía un rótulo que decía "Santidad a Dios". Después que el Sumo Sacerdote recibía la ofrenda, iban al área del sacrificio (mostrar lámina del área del sacrificio [Lámina 6.11]). Era allí donde la persona pecadora debía tomar la oveja y confesar sus pecados al sumo sacerdote. Él degollaba la oveja con la seguridad de que «la paga del pecado es la muerte».

Luego la oveja muerta era llevada al altar del sacrificio donde se quemaba como sacrificio por los pecados (mostrar lámina del altar de sacrificio [lámina 6.12]). Luego pasaban al área donde se encontraba un envase de bronce (mostrar lámina del envase de bronce [lámina 6.13]).

«En este lugar el sumo sacerdote se limpiaba la sangre del sacrificio y se aseguraba de estar sin mancha, es decir, totalmente limpio, ya que la sangre del sacrificio significa pecado. Después pasaban a los atrios (mostrar lámina de los atrios [lámina 6.14]) donde estaban los cantores con sus instrumentos. Juntos alababan a Dios por el perdón de los pecados, exaltándolo y bendiciéndolo».

«Después el sumo sacerdote pasaba al lugar santo (mostrar lámina del lugar santo [Lámina 6.15]). En este lugar había tres cosas simbólicas: La mesa del pan (significa que Dios es nuestro sustento), el altar del incienso (representa las oraciones de los santos), y la Menorá que era el candelabro de los 7 brazos (significando los 7 días de la creación.) El candelabro debía estar siempre encendido como símbolo de la presencia de Dios en nuestras vidas».

«Lugar santísimo donde estaba la presencia misma de Dios. Ahí se encontraba el arca del pacto, la vara de Aarón, el maná y las tablas de los 10 mandamientos». (Mostrar Lámina del lugar santísimo [Lámina 6.16]).

Actividad:

Maestro: «Como nuestra meta es poder ver a Dios en este momento, es claro que no podemos verle si hay pecado en nuestros corazones. Por eso, cada uno de nosotros va a recibir una oveja de papel, y vamos a orar pidiéndole a Dios que traiga a nuestra mente los pecados que hemos cometido. Dile al niño que los escriba». (De no saber escribir, que los dibuje) en la oveja de papel. «Nadie va a mirar tu oveja. Eso es sólo entre TÚ y DIOS». (Cada estudiante recibe un dibujo de una oveja pequeña, puede medir 5” x 5” o 15 cm por 15cm).

El maestro debe orar en voz alta y dar tiempo para que los niños escuchen la voz de Dios y escriban (dibujen) lo que Dios traiga a su mente. Una vez terminen, el maestro lleva al grupo a la primera estación que es el altar del sacrificio).

ALTAR DEL SACRIFICIO

(En esta área el maestro estará al lado del envase de fuego y todo el grupo estará frente a él, formando un semicírculo). El maestro dirá: «En este momento debe haber total silencio porque vamos a arrepentirnos de nuestros pecados. Ahora vamos a encender un fuego, y si tú estás verdaderamente arrepentido, vas a tirar tu ovejita en el fuego como símbolo de que no quieres volver a pecar. Es tu decisión, nadie te va a forzar». (Una vez haya explicado esto, el maestro colocará gasolina o líquido inflamable en el envase y prenderá el fuego. ¡Atención! Deben tener un extintor de fuegos en caso de emergencia. Los niños que son muy pequeños deben entregarle a su líder las ovejitas de papel para que ellos las depositen en el fuego. Una vez hayan terminado esta ceremonia pasan a la próxima estación).

ENVASE DE BRONCE (LAVATORIO)

(En esta área el maestro se coloca al lado del envase con agua mientras todo el grupo se colocará frente a él, en forma de semicírculo).

Maestro: «El agua que ustedes ven frente a ustedes representa el perdón de parte de Dios. Vamos a pasar uno a uno, y cuando laves tus manos debes dar gracias a Dios en tu mente y en tucorazón, porque gracias a Él y a Jesús nuestros pecados fueron perdonados. (Los niños pasarán uno a uno y lavarán sus manos. Una vez terminen este proceso pasan a la próxima estación).

ÁREA DE LOS ATRIOS

(Cuando entren los niños debe haber un grupo de adoración listo con sus instrumentos. Una persona adulta ó grupo de adoración estará lista para liderar la alabanza. Este es un tiempo para celebrar el perdón. Pueden cantar canciones conocidas o usar CD's, ó mp3, iPod). El maestro dirá: «En este momento vamos a dar gracias a Dios por el perdón de nuestros pecados. Es tiempo de alabar a Dios y bendecirle porque ha sido bueno». (Una vez terminen la alabanza pasan a la próxima estación).

ÁREA DEL LUGAR SANTO y LUGAR SANTÍSIMO

(Los niños entran al lugar donde hay una cortina grande, la cual los separa del lugar santísimo. En este lugar van a tener un tiempo de adoración. La música debe inspirar la presencia de Dios. Después de un tiempo de adoración el maestro leerá Hebreos 4:16. Y dirá: «Gracias al sacrificio de Jesús tenemos libre acceso a la presencia de Dios». (El maestro les invita a pasar al lugar santísimo. Este tiempo debe ser un momento especial para que los niños entren a la presencia de Dios. Es importante que los líderes y adultos estén listos para ministrar a los niños).

CIERRE:

(Al finalizar esta actividad es muy importante escuchar a los niños para ver qué les habló Dios. Para esto puede dividirlos en grupos pequeños y/o tener un tiempo de compartir con el grupo general).

Familia

Lección 7
Esfera de la familia
(Clases niños 4-7 años)

Color de la esfera de la familia: Anaranjado.

TIEMPO: 1 hora 30 min.

OBJETIVOS:

► Aprender el propósito de Dios para la familia.
► Entender lo que es el amor.
► Conocer los roles del hombre, la mujer y los hijos dentro de la familia.
► Examinar si los niños están viviendo su rol cómo hijos dentro de su familia.

VOCABULARIO:

► Amor:

Es benevolencia o buena disposición, que consiste en elegir el bien supremo de Dios y de los demás. (Basado en la Teología Sistemática, Capítulo 8, Charles Finney).

► Familia:

Es la unión de un hombre y una mujer, quienes han hecho un pacto de cumplir la voluntad de Dios, de ser fructíferos y bendecir el mundo. (Liberando las Naciones, Stephen Mc Dowell).
Idea principal:

► La familia muestra el amor de Dios.

ESCRITURA BÍBLICA:

► Efesios 5:25: «Los esposos deben amar a sus esposas, así como Cristo amó a la iglesia y dio su vida por ella».
► Efesios 5:22-23: «Las esposas deben sujetarse a sus esposos, así como lo hacen con

Cristo. Porque el esposo es cabeza de su esposa, así como Cristo es cabeza de su iglesia, y también su Salvador. Cristo es la cabeza, y la iglesia es el cuerpo».

► Efesios 6:1-3: «Hijos, obedezcan a sus padres. Ustedes son de Cristo, y eso es lo que les corresponde hacer. El primer mandamiento que va acompañado de una promesa es el siguiente: Obedezcan y cuiden a su padre y a su madre. Así les irá bien, y podrán vivir muchos años en la tierra».

Contenido de la lección

ACTIVIDAD DE INICIO:

Usted necesitará:

- Marioneta de un papá.
- Marioneta de una mamá.
- Marioneta de un hijo.
- Sábana (para hacer de teatrino).

(La clase comenzará con un diálogo entre las tres marionetas: mamá, papá e hijo).

Libreto: (Las tres marionetas están en escena).

Papá: «Hijo, tú sabes que nosotros te amamos mucho».

Hijo: «Sí, pero ¿por qué me aman?».

Papá: «Porque Dios te creó a su imagen y te puso en nuestra familia para expresar su amor».

Mamá: «Si, hijo. Dios siempre ha vivido en familia. Dios es tres personas, pero un solo Dios. Primero está Dios Padre, también está Dios Hijo (quien se llama Jesús), y Dios Espíritu. Ellos se aman entre sí, tal como nosotros te amamos a ti».

Hijo: «Ah, ya entiendo. Dios vive en familia y se aman mucho».

Papá: «¡Exacto! Por eso nosotros te amamos mucho, y así mostramos el amor de Dios».

DESARROLLO:

Usted necesitará:

- Marioneta o un personaje que haga de «Palabritas» (será el mismo en todas las clases).
- Cofre de las palabras de vocabulario (anexo 7.a).
- Letrero de las palabras de vocabulario: «Familia», «Amor» (Lámina 7.1; 7.2).
- Un diccionario (si el personaje Palabritas es una marioneta, el diccionario puede ser hecho en cartón. Si no, puede ser un libro grande que parezca un diccionario.
- Biblia.
- Lápiz o crayola de color anaranjado para cada niño (para colorear los versículos y la leyenda o cuadro de convenciones). Se debe exhortar al niño a marcar y/o subrayar su Biblia personal del color de cada esfera de influencia. El color de la Familia es el anaranjado.
- Lámina de un hombre (Lámina 7.3).

- Lámina de una mujer (Lámina 7.4).
- Lámina de unos anillos (Lámina 7.5).
- Lámina de una corona (Lámina 7.6).
- Lámina de hijos (Lámina 7.7).
- Lámina del mundo (Lámina 7.8).
- Pedazos grandes de cartón (los niños crearán una casa; lo ideal es tener 5 cartones del mismo tamaño).
- Cinta adhesiva (ancha, preferiblemente transparente, para pegar los cartones y así formar la casa).
- Tiza de colores (para decorar la casa de cartón).
- Crayolas y/o lápices de colores (para decorar la casa de cartón).
- Marcadores gruesos de colores (para decorar la casa de cartón).

Maestro: «¿Por qué los papás aman a su hijo?». (Dejar que los niños respondan). Los papás aman a sus hijos porque los creó a su imagen, y porque Dios es amor. Dios creó a la familia para mostrar su amor».

(En esta clase el maestro presentará al personaje «Palabritas». Este personaje puede ser una marioneta o un ayudante. El personaje tendrá la tarea de definir las palabras nuevas sobre «las siete esferas de la sociedad».

Estas son las siete esferas ó áreas donde se gana o se pierde una sociedad. Cada una nos provee el mandamiento de Dios para vivir santamente: 1. Gobierno, 2. Medios de comunicación, 3. Artes/Entretenimiento, 4. Educación, 5. Familia 6. Religión y 7. Negocios.

Maestro: «Voy a presentarles un gran amigo llamado Palabritas». (Permita que los niños llamen a Palabritas).

Maestro: «Hola Palabritas, ¿cómo estás?».

Palabritas: «¡Muy bien! Y ustedes niños, ¿cómo están?». (Permita que los niños respondan).

Maestro: «Hoy estamos aprendiendo sobre la familia». (El maestro sacará los letreros de «FAMILIA» y «AMOR», y los pegará en el cofre [ver lámina 7.1- 7.2].

(Este cofre se utilizará en todas las clases para colocar las palabras del vocabulario de cada una de las 7 esferas de la sociedad [ver anexo 7.a]).

Nos contaron de unos amiguitos que la familia muestra el amor de Dios. Pero necesitamos saber qué es el amor y qué es la familia. Para esto llamé a Palabritas, quien estudia mucho y se ha dedicado a descubrir el significado de las palabras.

Palabritas: «Muy bien, muy bien. Permítanme buscar en mi diccionario. (Palabritas hará como si estuviera buscando en el diccionario y dirá lo que significa cada una de las palabras).
«Bueno, el amor consiste en buscar primero el bienestar de Dios, y luego el de los demás».

Maestro: «Vamos a aprender de memoria esta definición». (Ahora los niños memorizan la definición de amor): Amor es buscar lo mejor para Dios y para otros. (Podemos memorizar esta definición haciendo señas, por ejemplo, cuando decimos «para Dios» señalamos hacia arriba; y cuando decimos «para otros», señalamos a los lados).

Maestro: «Recordemos que el amor no busca lo que es mejor para nosotros mismos, sino lo mejor para Dios y las personas que nos rodean. Por ejemplo, sabemos que tus padres te aman mucho porque cuando hay poca comida, ellos te dan a ti su propia comida. Otras veces ellos dejan de comprarse unos zapatos porque saben que tú necesitas comida. Ellos buscan tu bienestar antes que el de ellos».

Actividad opcional: Si le alcanza el tiempo, puede realizar un corto drama de una familia muy pobre no tiene qué comer, y un día el padre consigue una pequeña porción de comida. Tanto el padre como la madre le dan casi toda la comida a sus hijos porque los aman).

Palabritas dice: «Ahora vamos a ver qué significa la palabra familia». (Palabritas hará como si estuviera buscando en el diccionario y leerá la definición). «La familia está formada por un hombre y una mujer, quienes han prometido juntos que cumplirán la voluntad de Dios, tendrán hijos, y bendecirán al mundo».

Maestro (repetirá la definición de familia utilizando las láminas): «La familia es un grupo formado por un hombre (pegar lámina de un hombre [ver lámina 7.3]) y una mujer (pegar lámina de una mujer al lado de la lámina del hombre [ver lámina 7.4]) quienes han prometido que juntos (pegar lámina de los anillos de matrimonio [ver lámina 7.5]) cumplirán la voluntad de Dios para sus vidas (pegar lámina de corona encima de las láminas de hombre y mujer [ver lámina 7.6]) de tener hijos (pegar lámina de hijos [ver lámina 7.7]) y bendecir al mundo (pegar lámina del mundo [ver lámina 7.8]).

(Palabritas se alegra por lo que están aprendiendo y se despide de los niños).

Maestro: «Es importante entender que la familia no solo busca amarse entre ellos mismos, sino que busca servir a la comunidad. ¿Cómo servir a la comunidad? ¿cómo muestra la familia el amor?»

Cada miembro de la familia muestra su amor a los demás cuando cumple sus funciones (el propósito de Dios).

«¿Cuál es el propósito de Dios para el hombre? El hombre tiene un rol o propósito como esposo y luego como padre».

- Como esposo debe amar a su esposa y protegerla. También es el responsable de las decisiones que se toman en el hogar. (Lea Efesios 5:25. En cada clase de «las esferas de la sociedad» los niños colorearán los versículos claves del color asignado a cada esfera. Luego, en grupos pequeños, los líderes les ayudarán a crear un dibujo o una leyenda para pegarla detrás de sus Biblias [ver anexo 7.a para las instrucciones]). (Permita unos minutos para que los niños, con la ayuda de los líderes, coloreen el versículo en sus Biblias).
- ¿Cómo debe el papá mostrar el corazón paternal de Dios? Debe mostrarlo al disciplinar e instruir a sus hijos para que aprendan a amar a Dios. El papá es también el que protege y defiende a sus hijos de cualquier cosa mala que pueda pasarle.

  ¿Cuál es el rol o propósito de la mujer en la familia? La mujer también tiene un propósito y rol como esposa y como madre.
- Como esposa tiene la responsabilidad de ayudar al esposo, pero también de respetarlo como cabeza del hogar. (Lea Efesios 5:22-23. Permita unos minutos para que los niños, con la ayuda de los líderes, coloreen este versículo en sus Biblias).
- Como mamá, la esposa debe mostrar el corazón maternal de Dios. Esto lo hace cuando demuestra compasión por sus hijos al cuidarlos y nutrirlos. Además son las que traen belleza a su hogar.

ACTIVIDAD:

Los niños varones armarán una «casa» con pedazos grandes de cartón y cinta adhesiva con la ayuda de los líderes de grupo. Mientras tanto, las niñas decorarán las paredes de la «casa» con marcadores y crayolas. Al finalizar esta actividad los niños contemplarán el trabajo que han hecho juntos.

Ahora el maestro dice: «Como hemos aprendido, los hombres son los que brindan protección a la familia y las mujeres son las encargadas de administrar los asuntos del hogar, a la vez que traen belleza, cuidan a sus hijos y ayudan a sus esposos».

¿Cuál es el propósito de Dios para los hijos?

- Los hijos deben honrar, obedecer y servir a papá y mamá. (Lea Efesios 6:1-3. Permita unos minutos para que los niños, con la ayuda de los líderes, coloreen el versículo en sus Biblias). Para honrar a la mamá, los hijos debemos ser obedientes. Si mamá nos pide limpiar el cuarto, nosotros mostramos nuestro amor cuando la obedecemos. Cuando Jesús estuvo en la tierra siempre buscó honrar a su Padre en los cielos.
- Luego el maestro dice: «La familia muestra también el amor de Dios cuando sirve a la comunidad. Dios quiere que cada familia sirva a las personas que viven a su alrededor y en otros países. Algunas maneras en que la familia puede bendecir a su comunidad son: visitar una familia pobre y llevarle comida. Visitar a los ancianos y enfermos, entre otros».

CIERRE:

Aplicación/Resumen

El maestro finaliza diciendo: «¿Qué demuestra la familia que ama a Dios? (Dejar que los niños respondan). ¿Cómo puedes mostrar tu amor en tu familia?». (Dejar que los niños respondan).

«La familia que ama a Dios muestra el verdadero amor con obediencia. Esta familia cumple el propósito de Dios cuando sirve a la gente de la comunidad. Cuando una familia vive el amor verdadero, el Reino de Dios se acerca a la Tierra. ¿Eres tú un hijo que muestra el amor de Dios obedeciendo a tus padres y sirviendo a los vecinos? Si no es así, esta es una buena oportunidad para pedirle al Señor que nos perdone y nos permita mostrar su amor».

(Ore con los niños. Recuerde orar también para que Dios llame a algunos de los niños a servir en esta esfera de la familia).

MANUALIDAD:

Usted necesitará:

- Una hoja de papel para cada niño, donde el maestro dibujará el corazón y la frase: «Mi familia es un reflejo del amor de Dios».
- Una hoja de papel de construcción o papel seda rojo para cada niño (anexo 7.b).
- Una lámina de una familia para cada niño (anexo 7.c Ver en Unidad de proyectos).
- Cofre del tesoro de cada niño.
- Pegante (pueden tener varios potes o envases, 1 para cada grupo).
- Tijeras (preferiblemente una por niño).

Entregue una lámina de la familia a cada niño. Déjelos colorear y luego recortar el rectángulo

de la familia. Déle un corazón a cada niño y permita que el niño rasgue pedazos del papel rojo y rellene el corazón. Luego permítale al niño pegar la familia dentro del corazón. Déle a cada niño la frase: «Mi familia es un reflejo del amor de Dios» y permítales que la peguen en su hoja de trabajo. Al terminar esta actividad, los niños guardarán la corona en el cofre del tesoro.

Recomendamos las siguientes canciones interpretadas por Mrs. Vani: «Hay que limpiar; Los hijos son; Otro como mi Papá». Las pueden adquirir en iTunes. Y las canciones interpretadas por John Ray Morales: «Mi legado; El corazón de la cosecha». Las pueden adquirir en iTunes. Video: «Hecho para ti», en YouTube.

Gobierno

Esfera del Gobierno
(Clases niños 4-7 años)

Color de la esfera de gobierno: Morado (Violeta).

TIEMPO: 1 hora 30 min.

OBJETIVOS:

- ► Aprender el propósito de Dios para el Gobierno.
- ► Entender lo que es la justicia.
- ► Promover el autogobierno o dominio propio.

VOCABULARIO:

- ► Justicia:

Una de las cuatro virtudes cardinales, que inclina a dar a cada uno lo que le corresponde o pertenece. (Diccionario de la Real Academia Española, vigésima segunda edición).
Cumplir y administrar la ley; virtud que consiste en dar a cada persona lo que se merece o lo que es debido. (Diccionario Webster, 1828).

- ► Gobierno:

El flujo de poder o el ejercicio de la autoridad que regula, dirige, controla o restringe. (Diccionario Webster, 1828).
La fuente de toda autoridad, ley y gobierno está fundamentada en Dios y definida en Su palabra. (Dra. Youmans, Material AMO).

IDEA PRINCIPAL:

- ▸ El Gobierno muestra la justicia de Dios.

ESCRITURA BÍBLICA:

- ▸ Romanos 13:2-4: «Quien no obedece a los gobernantes, se está oponiendo a lo que Dios ordena. Y quien se oponga será castigado, 3 porque los que gobiernan no están para meterles miedo a los que se portan bien, sino a los que se portan mal. Si ustedes no quieren tenerles miedo a los gobernantes, hagan lo que es bueno, y los gobernantes hablarán bien de ustedes.4 Porque ellos están para servir a Dios y para beneficiarlos a ustedes. Pero si ustedes se portan mal, ¡pónganse a temblar!, porque la espada que ellos llevan no es de adorno. Ellos están para servir a Dios, pero también para castigar a los que hacen lo malo».

Contenido de la lección

ACTIVIDAD DE INICIO:

(Primero se jugará «El gato y el ratón». Se escogerá a un niño que haga de gato y otro que haga de ratón. Los demás niños harán un círculo agarrados de las manos. El que hace de ratón se colocará dentro del círculo y el que hace de gato estará fuera del círculo, esperando a que el ratón salga para tratar de atraparlo. Los niños ayudarán al ratón y le impedirán el paso al gato levantando y bajando los brazos. El gato no debe romper el círculo. El ratón puede salir y entrar al círculo por donde quiera. Los niños deben alzar los brazos sin soltarse de las manos, permitiéndole al ratón salir y entrar. El ratón debe dar una vuelta al círculo sin dejar que el gato lo alcance. Una vez entre el ratón, los niños tienen que bajar rápido los brazos para protegerlo del gato. Jugar este juego una o dos veces).

En el juego que acabamos de jugar, ¿quiénes protegían al ratón? (dejar que los niños respondan). Exacto. Los niños que estaban en el círculo protegían al ratón. Hoy vamos a descubrir quiénes son los encargados de «proteger al bueno y castigar al malo» en los países donde vivimos.

DESARROLLO:

Usted necesitará:

- Cofre de las palabras de vocabulario.
- Letreros de las palabras de vocabulario: «Gobierno», «Justicia» (Lámina 8.1; 8.2).
- Lámina de los Diez Mandamientos (Es la misma utilizada en la clase del «Rey y su Reino». (Lámina 2.3).
- Un diccionario (si el personaje Palabritas es una marioneta, el diccionario puede ser hecho en cartón; de ser un recurso humano, puede ser un libro grande), (ver anexo 8.a).
- Signo de «Pare/Alto» (Lámina 8.3).
- Signo de «Siga» (Lámina 8.4).
- Láminas de comportamientos buenos y malos (Lámina 8.5).

- Un pedazo de chocolate por niño (puede ser cualquier chocolate).
- Biblia.

«Como ya sabemos, Dios es nuestro Rey. Él es la mayor autoridad en el Reino de los cielos y en todo el universo. Como Rey bueno, Él nos gobierna con justicia. Llamemos a nuestro amigo Palabritas para que nos diga qué es la justicia». (Permitir que los niños llamen a Palabritas. Cuando Palabritas entre, la maestra le pregunta qué sabe de la justicia. Palabritas simula que está buscando en su diccionario).

Palabritas: «La justicia es dar a cada quien lo que se merece».

Maestro: «O sea que cuando Dios nos gobierna con justicia, eso significa que, al bueno le hace el bien y al malo lo castiga. ¿Se acuerdan del juego de la papa caliente? El que se quedaba con la papa caliente debía salir del juego. Esa era la regla. Hacer lo que es conforme a las reglas es lo justo. Pero si yo hubiera sacado a otra persona que no se hubiera quedado con la papa, ¿era eso justo?». (Dejar que los niños respondan). «Claro que no. Según las reglas, el que se sale del juego es el que se queda con la papa».

«Dios nos gobierna con justicia. La Biblia dice que al que es bondadoso Dios le muestra su bondad, pero al que es tramposo Dios le da su merecido». (Proverbios 12:2)

«¿Se acuerdan de los 10 mandamientos?». (El maestro hace referencia a lámina de los 10 mandamientos de la clase del Reino que estarán colgados o puestos en el salón [ver lámina 2.3]). «Estas son las leyes del gobierno de Dios. ¿Estas leyes, son buenas?». (Permitir que los niños respondan).

«Dios nos dejó estas leyes perfectas y justas para el bien de otros y del nuestro, escritas en su Palabra (la Biblia), para que al cumplir las leyes tengamos buenas consecuencias. Esto es la justicia. El cuarto mandamiento dice que debes amar a tus padres. Si te castigan por amar a tus padres, ¿sería esto justo?». (Dejar que los niños respondan).

«Las leyes de Dios son justas y nos protegen. Por ejemplo, la ley de no robar protege la propiedad privada. Si este lápiz le pertenece a este niño, nadie se lo puede robar».

«Dios revela su justicia por medio del Gobierno».(El maestro sacará las láminas de «GOBIERNO» y «JUSTICIA» y los pegará en el cofre [Ver lámina 8.1; 8.2])·

Palabritas: «Yo les explicaré lo que es el Gobierno». (Palabritas simula que está buscando en su diccionario). «Gobierno es la autoridad que se encarga de controlar y prohibir los malos comportamientos y de dirigir a las personas dándoles leyes. El gobierno viene de Dios y de su justicia, dándole a cada quien lo que se merece». (Palabritas se despide).

Maestro: «Gracias, Palabritas, por ayudarnos con las definiciones. ¡Hasta luego!».

Dinámica: El maestro colocará en la pared un signo de «PARE/ALTO» y un signo de «SIGA» [ver lámina 8.2; 8.3]. El maestro tendrá mezcladas las láminas de comportamientos buenos y malos [ver lámina 8.4]. El maestro dirá a los niños que a la cuenta de tres, ellos recogerán las láminas y las pegarán según corresponda: las buenas en «SIGA» y las malas en «PARE/ALTO»).

El maestro: «El Gobierno prohíbe los malos comportamientos, como estos que ustedes colocaron en "PARE/ALTO". Pero también nos dirige a hacer lo bueno, como estas cosas que ustedes colocaron en "SIGA". El gobierno protege a aquellos que hacen lo bueno, así como jugamos al Gato y el Ratón donde ustedes protegían al ratón. ¿Y qué hace el gobierno con los malos? Los castiga».

«¿Dónde está el Gobierno? En todas partes: por ejemplo en tu hogar, donde papá y mamá ponen las reglas para que distingas los comportamientos malos y buenos. También hay gobierno en las escuelas, en este lugar y en los países. Tu país tiene gobernadores, alcaldes, presidentes, policías, soldados y jueces que protegen al bueno y castigan al malo».

«Pero lo más importante es que el gobierno comienza en el corazón de cada persona, con la capacidad de dominarnos a nosotros mismos. A esto se le llama "autogobierno". Por ejemplo, cuando queremos pegarle una patada a otro niño, pero nos controlamos y no lo hacemos, estamos practicando el "autogobierno"».

(Ahora vamos a practicar el «autogobierno». Para esto se le dará a cada niño un chocolate. Luego se les pedirá que se pongan el dulce en la lengua hasta que el maestro toque el silbato/pito, indicando que ya se lo pueden comer. El maestro debe tocar el silbato antes que el chocolate se derrita, colocar una música de fondo alegre, animándolos a no vivir dominados por sus emociones y a resistir el deseo de comerse el chocolate).

Maestro: «Muy bien, ustedes dominaron su deseo de comerse el chocolate y así pudieron controlarse a sí mismos. Nadie puede gobernar una familia, una escuela o un país, si primero no sabe gobernarse a sí mismo para hacer lo que es bueno y correcto ante Dios».

«La Biblia nos enseña que el Gobierno civil representado por los jueces, alcaldes y policías, (llamados autoridades), se necesitó porque la gente no sabía controlarse, o sea, no se "autogobernaba"».

«Por eso tuvieron que nombrar autoridades para castigar a los malos que desobedecían las leyes. Esto es lo que pasa cuando no nos autogobernamos. El Gobierno civil (gobierno de los presidentes de los países) tiene que crear más y más leyes para controlarnos. Si no nos autogobernamos bajo la Ley tendremos un gobernante tirano que nos controle en todo lo que hagamos: comeremos lo que el Gobierno quiera darnos, y aprenderemos lo que el Gobierno quiera enseñarnos. En fin, todo sería decidido por el Gobierno. Otra cosa que podría suceder, si no nos autogobernamos, es la anarquía. Esta ocurre cuando cada persona hace como bien le parece, eliminando todo tipo de ley y autoridad. Imagínate cómo sería la vida sin leyes que te protejan. Todos robarían, y algunos tendrían la música muy alta hasta bien tarde en la noche sin dejarnos dormir. ¡Todo sería un desastre!».

«Veamos lo que dice la Biblia acerca del Gobierno». (El maestro leerá Romanos 8:2-4. Permita unos minutos para que los niños, con la ayuda de los líderes, coloreen el versículo en sus Biblias con el color morado). *Maestro:* «¿A quién castiga el gobierno? ¿Los buenos deben temer al Gobierno?». (Permitir a los niños contestar). «Recuerden que un buen gobierno es justo y da a cada quien lo que se merece».

CIERRE:

Aplicación/Resumen
Usted necesitará:

- Letreros de «PARE/ALTO y SIGA». (ver láminas 8.2, 8.3).

Maestro: «Según lo que aprendido ¿a quién castiga un Gobierno justo?». (Dejar que los niños respondan). «El Gobierno castiga a los malos, pero al bueno lo protege. ¿Qué nos muestra

el Gobierno acerca de Dios?». (Dejar que los niños respondan). «Aprendimos que el gobierno comienza en el corazón con personas que se gobiernan así mismas». (Si le alcanza el tiempo, puede jugar el juego «Pare/Alto y Siga». Para comenzar, el maestro dirá: «PARE/ALTO o SIGA», utilizando los rótulos de la dinámica anterior. Cada vez que el maestro diga «SIGA», los niños correrán hacia el maestro; pero cuando diga «PARE/ALTO», los niños se deben paralizar sin moverse. Los niños que se muevan volverán al lugar de inicio. El juego termina cuando el primer niño toque al maestro. Cuando termine el juego, explíqueles que así como ellos tenían que controlarse cuando el maestro decía «PARE/ALTO», así mismo las personas «autogobernadas» se controlan para hacer sólo lo bueno).

Recuerden orar también para que Dios llame a algunos de los niños a servir en esta área del Gobierno.

MANUALIDAD:

Usted necesitará:

- Letreros de «PARE/ALTO» y «SIGA». (ver láminas 8.2; 8.3).
- Hoja de trabajo de Gobierno .
- Crayolas color verde y rojo para cada niño.
- Cofre del tesoro de cada niño.

El maestro debe imprimir la hoja de trabajo de Gobierno para cada niño (ver anexo 8.b). Provea crayolas de color verde y rojo para cada uno. Si el niño aún no conoce los colores rojo y verde, indíquele. Diga a lniños que deben marcar con una X aquellas conductas que un gobierno justo prohíbe y hacer un círculo a aquellas conductas que un gobierno justo promueve. Al terminar, guarde el trabajo en el cofre del tesoro de cada estudiante.

Recomendamos la siguiente canción interpretada por Mrs. Vani: «Los niños». La pueden adquirir en iTunes.

Educación

Esfera de la educación

(Clases niños 4-7 años)

Color de la esfera de la educación: Marrón.

TIEMPO: 1 hora 30 min.

OBJETIVOS:

- ► Aprender el propósito de Dios para la educación.
- ► Entender lo que es la sabiduría.
- ► Reconocer la Palabra de Dios como la base de toda buena educación.
- ► Reconocer que los padres son los encargados principales de la educación.

VOCABULARIO:

- ► Educación:

Comprende toda serie de instrucciones y disciplinas que intentan alumbrar el entendimiento, corregir el temperamento, formar los hábitos de la juventud y capacitarlo para cumplir con las demás funciones en el futuro. (Diccionario Webster 1828).

- ► Sabiduría:

La capacidad de ser sabio; el ejercicio y uso correcto del conocimiento; discernimiento; el uso de los mejores medios para lograr los mejores resultados. (Diccionario Webster 1828).
El conocimiento que el amor usa para producir lo que es bueno. (Charles Finney).

IDEA PRINCIPAL:

- ► La educación nos muestra la sabiduría de Dios.

ESCRITURA BÍBLICA:

➤ 2 Timoteo 3:16-17: «Todo lo que está escrito en la Biblia es el mensaje de Dios, y es útil para enseñar a la gente, para ayudarla y corregirla, y para mostrarle cómo debe vivir. De ese modo, los servidores de Dios estarán completamente entrenados y preparados para hacer el bien».

Contenido de la lección

ACTIVIDAD DE INICIO:

Usted necesitará:

- Letras que componen la palabra «sabiduría» (Anexo 9.a).
- Cinta adhesiva.
- Marioneta o recurso humano que hará de Palabritas.

(El maestro llevará a cabo una búsqueda del tesoro. Antes de la clase debe pegar las letras que componen la palabra sabiduría en diferentes partes del salón [ver anexo 9.a]). (Palabritas se aparece al inicio de la clase).

Palabritas: «Hola amiguitos. ¿Cómo están? Resulta que se me ha perdido mi palabra y no la encuentro».

Maestra: «¿Qué tal si ayudamos a nuestro amigo Palabritas a encontrar la palabra? Las letras están esparcidas por el suelo. Qué les parece si buscamos por todo el salón hasta encontrar cada una de las letras». (Permitir que los niños busquen las letras esparcidas por el suelo, y luego pídales que las coloquen en orden según el número de cada letra. Si algún niño sabe leer pídale que lea la palabra, o usted puede leerles lo que dice. Explíqueles que más adelante sabrán por qué cada letra tiene un avión).

DESARROLLO:

Usted necesitará:

- Ecuación de la sabiduría (Lámina 9.1).
- Letreros de las palabras de vocabulario: «EDUCACIÓN» y «SABIDURÍA» (Lámina 9.2 y 9.3).

Opción A: Actividad de los hermanos Wright (presentar video de los hermanos Wright):

- Una computadora.
- Proyector o televisor (con los cables necesarios para conectarlo a la computadora).
- Bocinas o parlantes.
- Video: Los sabios-Los Hermanos Wright 1/2 y 2/2 (descargado previamente de YouTube).

Opción B: Leer historia y mostrar láminas de los hermanos Wright.

- Historia con las láminas de los hermanos Wright (Anexo 9.b).
- Lápices ó crayones de color marrón (uno para cada niño o dos por grupo pequeño).
- Galletas dulces con un poco de miel por encima (preferiblemente galleta de vainilla).
- Hoja de trabajo: «¡Tu palabra es para mí más dulce que la miel!» Salmos 119:104 TLA (opcional). (Anexo 9.c).

Palabritas: «Gracias por ayudarme a encontrar mi palabra. Les voy a decir lo que significa la palabra sabiduría pues hoy aprenderán más acerca de ella. Dios es sabio, y la sabiduría viene de Él.

Dios es nuestro mejor ejemplo de sabiduría… porque la sabiduría, mis queridos amiguitos, es la capacidad de utilizar el conocimiento en forma amorosa para hacer el bien».

Maestro: «Es verdad, Palabritas; la sabiduría es como la siguiente ecuación»: (Mostrar las imágenes de la ecuación de sabiduría [ver lámina 9.1]) CONOCIMIENTO y AMOR = SABIDURIA.

«Dios es sabio porque usa su conocimiento para hacer siempre cosas buenas. Cuando creó la familia, la hizo de tal manera que el bebé pueda tener unos padres que lo amen, le den todo lo que necesita y lo protejan. Imagínate un bebé sin padres. Dios es sabio, ¿no crees? La Creación fue hecha con sabiduría porque Dios usó toda su inteligencia para hacer la tierra con animales, árboles, ríos y montañas para que nosotros pudiéramos vivir bien, alimentarnos y trabajar. ¡Qué sabio es Dios!».

«¿Saben qué? Así como Dios es sabio, nosotros también podemos ser sabios. ¿Se acuerdan de los aviones que hay en cada una de las letras de la palabra Sabiduría? Pues estos aviones nos recuerdan que hubo unos hermanos muy sabios que inventaron y volaron el primer avión con motor». (Permita que los niños hablen). «Les voy a contar un poco acerca de estos hermanos que utilizaron la sabiduría para hacer el bien. Ellos se llamaban los hermanos Wright». (Plan A: Presentar un video corto sobre la historia y los logros de los hermanos Wright [ver materiales para enlace en Internet] / Plan B: Leer historia con láminas de los hermanos Wright [ver anexo 9.b para historia]).

Maestro (luego de contarles la historia): «Ahora niños, les pregunto ¿Quiénes fueron los Hermanos Wright? ¿Cuál fue su gran descubrimiento? ¿Qué beneficios ha traído el avión a nuestra sociedad?». (Permitir que los niños respondan). «Vemos que estos hombres utilizaron todo su conocimiento y su inteligencia para traer un bien a nuestro mundo. Gracias a los aviones podemos llegar a otros países más rápido y más seguros. Hoy día la transportación es mucho mejor gracias a su sabiduría».

DINÁMICA:

«Ahora vamos a levantarnos y a hacer todos como un avión» (mientras los niños hacen como avión) pregúnteles: «¿A dónde les gustaría ir en un avión?». Esta dinámica le servirá para permitirles a los niños moverse y retomar luego su atención. «¿Saben qué dijo el papá de los hermanos Wright? Que ellos eran sabios y descubrieron el avión gracias a la Biblia». (El maestro mostrará la Biblia). «Sus papás los educaron enseñándoles la Biblia».

Palabritas: «Sí, niños. La educación es muy importante para llegar a ser sabios. La educación es la enseñaza que nos prepara para hacer el bien. La educación viene del corazón de Dios, porque Dios es sabio».

Maestra: «La educación muestra la sabiduría de Dios». (El maestro sacará los letreros de «EDUCACIÓN» y «SABIDURÍA» y los pegará en el cofre [ver Láminas 9.3]). «Así como Dios es sabio,Él quiere que todos sus hijos sean sabios. Para esto tenemos que educarnos (recibir enseñanza que nos prepara) para hacer el bien. Les voy a leer lo que dice la Biblia acerca de la educación. En 2 Timoteo 3:16-17 dice: "Todo lo que está escrito en la Biblia es el mensaje de Dios, y es útil para enseñar a la gente, para ayudarla y corregirla, y para mostrarle cómo debe vivir. De ese modo, los servidores de Dios estarán completamente entrenados y preparados para hacer el bien"». (Permita unos minutos para que los niños coloreen el versículo en sus Biblias con el color marrón).

«Según este pasaje, la enseñanza debe prepararnos para hacer el bien. En otras palabras, para que utilices todo el conocimiento con amor. Esta es la sabiduría». (Repasar con los niños la definición de sabiduría).

«¿Cuántos niños tienen el privilegio de ir a la escuela?». (Permitir que los niños respondan). «Cuando vas a la escuela estás siendo educado, pero necesitas usar todo lo que estás aprendiendo para hacer el bien y ser sabio. No es sabio el que tiene mucho conocimiento y lo usa para hacer el mal o simplemente no lo usa. El sabio usa su conocimiento con amor, para hacer el bien». (Hacer referencia a la ecuación de la sabiduría).

«Este versículo que acabamos de leer también nos dice que una buena educación se basa en la Palabra de Dios. La mejor forma de aprender a ser sabios es estudiando la Biblia. Ella nos enseña a hacer el bien. Las Palabras de Dios son más dulces que la miel, y aprenderlas es una delicia».

ACTIVIDAD:

Déle a cada niño una galleta dulce, preferiblemente de vainilla, con un poco de miel. Luego el maestro dice: «Así como esta galleta es dulce y sabrosa, así mismo es la Palabra de Dios, la fuente para adquirir sabiduría. Es más deseable que el oro, la plata, y que muchos bienes. Por esto tenemos que aprender de ella. (Si desea, puede usar la hoja «¡Tu palabra es para mí más dulce que la miel!» Salmos 119:104 [ver Anexo 9.c]).

«¿A cuántos de ustedes les gusta recibir educación?». (Permitir que los niños respondan). «A todos nos debe gustar, pues esta nos hace sabios y nos capacita para hacer el bien. Recuerden que la educación que viene del corazón de Dios es dulce como la miel. Por esto es importante que todos ustedes estudien en la escuela, en la universidad y en la Iglesia».

«Niños, les tengo un secreto. ¿Quieren escuchar ese secreto?» (Permitir que los niños respondan). «Dios les dio a unas personas la responsabilidad de educarlos. La Biblia dice que esas personas son papá y mamá. De igual manera, cuando ustedes sean grandes y tengan hijos, deben educar a sus hijos para que sean sabios».

CIERRE:

Aplicación/Resumen

«¿Qué nos muestra la educación de Dios?». (Permitir que los niños respondan). «La educación de Dios nos muestra la sabiduría. Tú has sido educado aquí, en la iglesia y en tu escuela pero, ¿has aprendido a ser sabio?, ¿has utilizado tu conocimiento sólo para el bien?». (Permitir que los niños se examinen y digan cuándo y cómo).

«Ahora vamos a orar y pedirle a Dios que nos ayude a ser sabios y a amar siempre el ser educados en la verdad». (Ore con los niños. Recuerde orar también para que Dios llame a algunos de los niños a ser educadores).

MANUALIDAD:

Usted necesitará:
- 2 hojas de papel blanco tamaño carta para cada niño.
- 1 hoja de papel de construcción de cualquier color.
- Grapadora.

- Hoja que dice «La educación refleja la sabiduría de Dios y el versículo de 2 Timoteo 3:16-17». (se le dará a cada niño para que lo recorte y lo pegue en la pequeña Biblia que harán. (Ver anexo 9.d)
- Tijeras y pegante.

Entregue a los niños dos hojas de papel blanco tamaño carta y una hoja de papel de construcción de cualquier color. Dígales que cada uno va a hacer un libro. Ayude a los niños a doblar los papeles por la mitad y grápeselos en forma de libro. El papel de construcción de color será la cubierta del libro que van a hacer. Imprima la hoja que dice «La educación refleja la sabiduría de Dios» (ver Anexo 9.d). Permita a los niños recortarla y pegarla dentro del libro. Puede ser en la primera página. Imprima además 2 Timoteo 3:16-17 y déselo a los niños para que lo peguen en las páginas de su Biblia.

Nota: Una opción es dejar páginas en blanco para que el niño pegue en esa Biblia los versículos de otras clases. Pida a los niños que escriban (o escríbalo usted para los más pequeños) en la cubierta del libro «Santa Biblia». También puede tener impresa la frase. Permita que los niños la recorten y la peguen. Diga a los niños: Dios nos ha dado la Biblia para educarnos y ser útiles y sabios. (Al terminar guarden el trabajo en el Cofre del tesoro de cada estudiante.

Recomendamos las siguientes canciones interpretada por Mrs. Vani: «El ABC; Las tablas de multiplicar». Las pueden adquirir en iTunes.

Ciencia

Lección 10

Esfera de la ciencia

(Clases niños 4-7 años)

Color de la esfera de la ciencia: Azul.

TIEMPO: 1 hora 30 min.

OBJETIVOS:

- Aprender el propósito de Dios para las ciencias.
- Entender lo que es orden y poder.
- Estudiar diferentes áreas de las ciencias y los atributos que muestran de Dios.

VOCABULARIO:

- Ciencia:

Las que tienen por objeto el estudio de la naturaleza, como la geología, la botánica, la zoología, etc. A veces se incluyen la física, la química, etc. (Diccionario de La Real Academia Española, vigésima segunda edición). Conocimiento relacionado al mundo físico y sus fenómenos, la naturaleza, constitución y fuerzas de la materia, las cualidades y funciones de los tejidos vivos, etc.; también se le conoce como ciencia natural y ciencias físicas. (Diccionario Webster, 1913).

- Orden:

Disposición regular o arreglo metódico de las cosas. (Diccionario Webster, 1828).
Colocación de las cosas en el lugar que les corresponde. Serie o sucesión de las cosas.
(Diccionario de La Real Academia Española, vigésima segunda edición).

- Poder:

Habilidad de actuar; la facultad de hacer algo; capacidad de producir un efecto sea físico o moral; potencia; fuerza. (Diccionario Webster, 1913).

Tener expedita la facultad o potencia de hacer algo. (Diccionario de La Real Academia Española, vigésima segunda edición).

IDEA PRINCIPAL:

- Las ciencias muestran el orden y el poder de Dios.

ESCRITURA BÍBLICA:

- Salmo 104:24 «Dios nuestro, tú has hecho muchas cosas, y todas las hiciste con sabiduría. ¡La tierra entera está llena con todo lo que hiciste!».
- Romanos 1:20: «Por medio de lo que Dios ha creado, todos podemos conocerlo, y también podemos ver su poder. Así que esa gente no tiene excusa».

Contenido de la lección

ACTIVIDAD DE INICIO:

Usted necesitará:

- Papel estraza (de madera/craft) suficiente para hacer una bata de laboratorio para cada niño.
- Instrucciones para hacer los chalecos de exploradores (Anexo 10.b).
- Diccionario (si Palabritas es una marioneta el diccionario es de cartón, si es un recurso humano puede ser cualquier libro).
- Láminas de los días de la creación (Anexo 10.a).
- Rótulos de las palabras de vocabulario «ORDEN» y «PODER» (con el dibujo de una lupa) (Lámina 10.1).
- Rótulo palabra de vocabulario «CIENCIA» (Lámina 10.2).

(Toda esta clase se realizará a través de una excursión por el campo, llevando la rueda de la ciencia [ver lámina 10.3].

Esta rueda se hará en una cartulina completa, siguiendo el ejemplo que se anexa, para que sea fácil de movilizar. Se trabajarán cada una de sus ramas por estaciones, anexando el dibujo que corresponda. Si no se puede sacar a los niños, se dividirá el salón con los espacios correspondientes y se decorará de acuerdo con cada área de las ciencias estudiadas en esta clase.

El maestro deberá preparar con anterioridad los chalecos de exploradores con papel estraza para cada niño [ver anexo 10.a para instrucciones]).

Maestro: «Antes de salir, llamemos a nuestro amigo Palabritas para ver cómo le fue ayer».
(Anima a los niños para que llamen a Palabritas).

Palabritas: (Entra cantando): «¿Quién hizo las flores, las flores, las flores? ¿Quién hizo las flores? Nuestro Dios … lalalalala ¡Qué día tan hermoso!… Hola amiguitos … buenos días. Estoy feliz

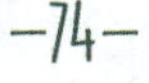

porque ayer leí que el agua ayudaba a las plantas a crecer. Por eso hoy les eché agua a las plantas de mi casa… Al hacer esto fui sabio porque hice el bien con lo que sabía. Esto fue lo que aprendimos ayer en la clase de Educación. ¿Qué palabra vamos a estudiar hoy?».

Maestro: «Hoy vamos a estudiar acerca de dos cualidades de Dios: orden y poder».

Palabritas: «Esperen un momento. Voy a buscar estas dos palabras en mi diccionario». (Palabritas puede hacer como si buscara en un diccionario). «Ajá, las encontré: Orden significa la organización en secuencia de las cosas y poder es la fuerza o capacidad de producir algo».

Maestro: «Dios hizo la Creación con orden». (A medida que habla de los días de la creación, muestre y pegue las láminas correspondientes en la pared. Ver anexo 10.a).

«El primer día Dios hizo la luz y lo llamó día y a la oscuridad la llamó noche. El segundo día Dios hizo los cielos; el tercer día Dios hizo los mares y a lo seco le llamó tierra; el cuarto día creó el sol, la luna y las estrellas; el quinto día creó las aves y los peces; el sexto día hizo los animales y al ser humano y el séptimo día descansó. Imagínate si Dios hubiera creado los peces antes de haber creado el mar. ¿Qué hubiera sucedido?». (Permitir que los niños respondan) «¿Qué hubiesen comido las vacas si Dios no hubiera creado el pasto primero?». (Permitir que los niños respondan). «Por esto decimos que Dios creó todas las cosas en orden y con poder».

«Las ciencias muestran el orden y el poder de Dios al crear. Hoy vamos a aprender qué son las ciencias». (Muestre los rótulos de las palabras de vocabulario «ORDEN», «PODER» y «CIENCIA» [ver láminas 10.1- 10.2]. Repasar la definición y pegar los rótulos al cofre del vocabulario).

Palabritas: «Según el diccionario, las ciencias naturales son los estudios de la Creación».

Maestro: «Así como la ciencia estudia la Creación, y puesto que somos exploradores, vamos a estudiar la Creación. ¿A cuántos de ustedes les gustan las excursiones? Pues hoy vamos a ir a una excursión para aprender sobre la Creación de Dios. Pero antes debemos colocarnos nuestro chaleco de exploradores». (Entregar chalecos de papel estraza para cada niño y salir).

DESARROLLO:

Usted necesitará:

- Rueda de la ciencia (Lámina 10.3).
- Lámina del sol y la Tierra (Lámina 10.4).
- Lámina de una piedra cayendo (Lámina 10.5).
- Lámina del mapa del mundo (Lámina 10.6).
- ½ fruta para cada niño.
- Lámina de una hoja de un árbol (Lámina 10.7).
- Lámina de un ojo humano (Lámina 10.8).
- Dibujo o calcomanía relacionada a las láminas que pegaron en la rueda (Una para cada niño). (Anexo 10.c).
- Opcional: Para mayor comodidad puede llevar un trípode para recostar la rueda de la ciencia durante la explicación en cada estación.

(Cada etapa de esta excursión debe ser narrada en forma de historia, y se debe tomar tiempo para apreciar la creación de Dios en cada área de la ciencia. Para eso llevamos la rueda de la ciencia[ver lámina 10.3]. Cada vez que aprendamos algo, pegaremos la lámina que corresponda en cada una de las ramas de la rueda).

Maestro: «Vamos a acostarnos en el pasto y miremos al cielo. ¿Qué vemos?». (Permitan que los niños respondan). «Vemos el cielo, el sol y las nubes. La ciencia que estudia el sol, las estrellas y los planetas se llama Astronomía». (Mostrar el dibujo en la rueda). «Al ver el cielo que tiene tantos planetas y tantas estrellas podemos ver la grandeza de nuestro Dios. Por ejemplo, el sol es mucho más grande que la Tierra».(Pegar lámina del sol y la Tierra. [Ver lámina 10.4]). (Llevar a los niños a un lugar donde haya piedras o tierra).

«La ciencia también estudia las leyes de la creación y las características de las cosas. A este estudio se le llama Física (mostrar en la rueda). Hay leyes físicas que muestran el gran poder de nuestro Dios. Por ejemplo, la ley de gravedad». (Pedirles a los niños que tomen una piedra y la dejen caer para que vean la fuerza de gravedad). «Como ven, la fuerza de gravedad atrae los objetos hacia la tierra. Esta fuerza hace que la Tierra esté siempre en su lugar, y que podamos pararnos sobre la Tierra». (Pedirle a uno de los niños que pegue la lámina de la piedra cayendo [Ver lámina 10.5]). (Luego los llevamos a un árbol frutal).

«Bueno niños, hemos aprendido mucho sobre la grandeza y el poder de Dios. Pero hay otra ciencia que vamos a explorar: se llama la Geografía (mostrarla en la rueda). La Geografía es la ciencia de la Tierra y su relación con el hombre. Dios le dio autoridad al hombre sobre la Tierra. Es decir, el hombre es responsable de explorar la Tierra». (Explicar esto en detalle).

«La Tierra es la casa que Dios nos hizo para vivir. Dios nos ha dado todo lo que necesitamos para tener comida, vestido y techo. Nos ha dado plantas y animales para alimentarnos». (Pedirle a un niño que pegue un mapa del mundo en la rueda [ver lámina 10.6]). «La Geografía de nuestro mundo no es la misma en todos los países. Hay lugares que son más altos, otros más bajos, unos son calurosos y otros fríos». (Hacer referencia al mapa en la rueda señalando las zonas geográficas más frías, como Canadá y Rusia; y las más calientes, como el Caribe y los países cercanos a la línea del Ecuador).

«Como Dios creó la Tierra con una geografía variada, podemos sembrar diferentes árboles y así tener mucha variedad de frutas». (Repartir media fruta para que cada niño la coma, según la cosecha que haya en época en su país: mangos, naranjas, bananos, peras y muchas más). (Permita que los niños busquen una hoja de un árbol. Pídales que observen detenidamente la forma, el color y el tamaño).

«Otra parte de las ciencias es la Biología». (Mostrar esta parte de la biología en la rueda). «Aquí también podemos ver el orden de Dios. La Biología estudia los seres vivos como las plantas, los animales y los seres humanos. En la forma que fueron creados podemos ver mucho orden. ¿Recuerdan que el orden es la organización de las cosas? Por ejemplo, veamos las venas de una hoja». (Pedir a un niño que pegue la hoja en la rueda [ver lámina 10.7]). «Mira por un momento la hoja que tienes en tus manos, cada parte de ella, sus venas y su forma. Es asombrosa, ¿verdad? Ellas fueron diseñadas por Dios con un orden perfecto». (Sentar a los niños en un lugar plano). «Ahora vamos a ver una parte de la ciencia llamada Anatomía. Esta también nos muestra perfección. La anatomía humana estudia las partes de nuestros cuerpos». (Cantar: «Cabeza, hombros, rodillas y pies. Y todos aplaudimos 1, 2,3»).

«Nosotros, los seres humanos, somos la mejor obra de Dios. Dios creó cada parte de nuestro cuerpo para vivir en este mundo. Una parte muy interesante de nuestros cuerpos son los ojos».

(Pegar el ojo en la rueda [ver lámina 10.8]). «Miren los ojos de su compañero sin tocarlos. Esos ojos son mejores que cualquier cámara fotográfica. Pueden distinguir los colores y ajustarse a la luz. Imagínense una cara sin ojos. ¡Sería horrible! Vemos una vez más que Dios hace todo con orden».

(Ahora lleve a todos los niños al salón de clases. Mientras los niños están entrando colóqueles un dibujo o calcomanía de una de las láminas que pegaron en la rueda de las ciencias [ver anexo 10.c.]. Coloque a los niños en grupos para que vean otra vez las cinco áreas de la Ciencias que aprendimos hoy).

El maestro: «Mis pequeños exploradores, hoy hemos visto cómo las ciencias muestran el orden y el poder de Dios. Algún día, algunos de ustedes podrán ser grandes científicos que muestren el poder de Dios a través de las ciencias». (Pídales a los niños que se coloquen en secuencia de acuerdo al orden en que aparecieron las láminas en la clase). «Esto es orden, organizar en secuencia, así como ustedes lo han hecho».

CIERRE:

Aplicación/Resumen

«Nuestro Dios es un Dios de orden y poder. Las ciencias muestran su orden y su poder en la creación. Romanos 1:20 dice que a Dios se le puede conocer al observar la creación . Nadie tiene excusas de que no ha visto a Dios. Lo puede ver en La Creación. Lo que Él creó nos muestra como es Él». (Termine con una oración para que los niños puedan reconocer a Dios en la Creación. Recuerde orar también para que Dios llame a algunos de los niños a ser científicos).

MANUALIDADES:

Usted necesitará:

- Hojas de trabajo de cada área de las ciencias (Anexo 10.d).
- Lápiz (uno por niño en la estación de astronomía).
- Plastilina de color amarillo (una por niño en la estación de Astronomía).
- Crayolas (1 o 2 paquetes).
- Crayolas azules y verde (para cada niño en la estación de Geografía).
- Pinturas para dedos color marrón, verde y roja.
- Una hoja en blanco (para cada niño en la estación de Biología).
- Pegante blanco.
- Tijeras (para los niños de la estación de Anatomía).
- Papel de construcción (una para cada niño en la estación de Anatomía).
- Hoja con versículo de Romanos 1:20 (Anexo 10.e).

(Antes de que los niños lleguen al salón, su asistente debe haber separado cinco estaciones de acuerdo con las cinco láminas de la rueda de la ciencia [ver anexo 10.c]. Según el dibujo o calcomanía que cada niño tenga, colóquelo en la estación correspondiente. Por ejemplo, los que tienen el sol irán a la estación del sol. Si le sobra tiempo puede permitir que los niños pasen por las demás estaciones).

Dar las instrucciones para la estación #1 Astronomía (ver anexo 10.d.i). Los niños seguirán los puntos con un lápiz dibujando un sol. Luego rellenarán el sol con plastilina de color amarillo.

Instrucciones para la estación #2 Física (ver anexo 10.d.ii). Los niños colorearán a Isaac Newton cuando la manzana le cayó en la cabeza.

Instrucciones para la estación #3 Geografía (ver anexo 10.d.iii). Se le darán a cada niño dos crayolas: una azul y una verde para que coloreen el mapa del mundo.

Instrucciones para la estación #4 Biología (ver anexo 10.d.iv). Los niños harán un árbol con pinturas para dedos. Pinte un lado de la mano del niño con pintura marrón y estámpelo en el papel como si fuera el tronco. Coloque pintura verde en el dedo índice del niño y estámpelo varias veces en el papel para hacer las hojas (coloque más pintura en el dedo del niño de ser necesario). Moje el dedo meñique del niño en pintura roja y estámpelo suavemente en el papel para representar las frutas.

Instrucciones para la estación #5 Anatomía (ver anexo 10.d.v). Los niños organizarán las partes del cuerpo humano. Provea a cada niño el rompecabezas del cuerpo humano. Permita que los niños lo coloreen, recorten y peguen en un papel de construcción.

Al terminar cada manualidad, dele a cada niño el versículo de Romanos 1:20 para que lo peguen en su hoja de trabajo. [Ver anexo 10.e]. Lea el versículo y permita que lo coloreen en sus Biblias con el color azul. Proceda a la aplicación. Al terminar esta actividad, guarden el trabajo en el cofre del tesoro de cada estudiante).

Recomendamos las siguientes canciones interpretadas por Mrs. Vani: «El Arca; Alimentarme bien». Las pueden adquirir en iTunes.

Arte

Esfera del arte
(Clases niños 4-7 años)

Color de la esfera del arte: Rosado.

TIEMPO: 1 hora 30 min.

OBJETIVOS:

- ▶ Aprender el propósito de Dios para las artes.
- ▶ Entender lo que es la belleza y cómo esta se relaciona con la verdad.
- ▶ Conocer la importancia de las leyes de estética en el arte.

VOCABULARIO:

- ▶ Arte (bellas artes):

Cada una de las que tienen por objeto expresar la belleza, especialmente la pintura, la escultura, la arquitectura y la música. (Diccionario de la Real Academia Española, vigésima segunda edición).

- ▶ Belleza (artística)

Armonía y perfección que inspira admiración y deleite. (Diccionario de la lengua española de Espasa-Calpe, 2005).
Simetría de las partes; armonía; la justa composición. (Diccionario Webster, 1828).
La que se produce de modo cabal y conforme a los principios estéticos, por imitación de la naturaleza o por intuición del espíritu. (Diccionario de la Real Academia Española, vigésima segunda edición).

IDEA PRINCIPAL:

- ▶ Las artes muestran la belleza de Dios.

ESCRITURA BÍBLICA:

- ► Génesis 1:1: «Cuando Dios comenzó a crear el cielo y la tierra».
- ► Eclesiastés 3:11ª: « Cuando Dios creó este mundo, todo lo hizo hermoso… ».

Contenido de la lección

ACTIVIDAD DE INICIO:

Usted necesitará:

- Decoración para el salón como de estudio de arte. Recomendamos tener lo siguiente:
- Pinturas.
- Acuarelas.
- Pinceles.
- Música, etc…
- Radio o tocador de CD's para escuchar la música.
- Lápices de colores.
- Marcadores.
- Cuadros de pinturas (opcional).
- Crayolas.
- Papel de estraza preferiblemente blanco (4 metros de largo).
- Pintura para dedos color azul.
- Toallas húmedas (para limpiar las manos de los niños).
- Hojas para colorear de animales y plantas marinas (suficientes para que todos los niños escojan una). (Anexo 11 a.).
- Cinta adhesiva.

(Decorar el salón como si fuera un estudio de arte. Puede colocar pinturas, lápices de colores, crayolas, etc. Coloque en una pared un pedazo de papel de estraza preferiblemente blanco de unos 4 metros de largo o un tamaño donde todos los niños puedan pintar).

Maestro: «Buenos días niños. Bienvenidos al estudio de arte. Hoy vamos a crear un hermoso cuadro para traer belleza a este salón. Vamos a crear un mar con diferentes animales acuáticos». (Provea a los niños pintura para manos color azul para que con sus dedos pinten el agua en el papel traza. Tenga a la mano toallas húmedas para limpiarles las manos. Luego reparta varias figuras de un animal o planta marina, preferiblemente ya recortadas para que los niños escojan una para pintar. [Ver anexo 11.a]. Los líderes pueden ayudar a recortar los dibujos que los niños pinten. Permita que cada niño pegue su dibujo en el cuadro del mar).

DESARROLLO:

Usted necesitará:

- Biblia.
- Crayolas color rosado (uno para cada niño o 2 por grupo pequeño).
- Letreros de las palabras de vocabulario: «ARTE» y «BELLEZA» (Láminas 11.1, 11.2).
- Cinta adhesiva.
- Láminas de combinación de colores (Lámina 11.3).
- Música clásica (opcional).
- Ruidos sin armonía (opcional).
- Figuras previamente recortadas de la actividad «Hagamos una casa» (Anexo 11.b). Página con la estructura de una casa (Anexo 11.b.).
- Ejemplo de la casa mal construida (Anexo 11.c).

«Hoy ustedes han creado una hermosa obra de arte para dar belleza a este salón. ¿Saben por qué podemos crear arte? Porque Dios fue el primer creador y nos hizo a su imagen y semejanza, parecidos a Él. Génesis 1:1 dice: "En el comienzo de todo, Dios creó el cielo y la tierra"». (Permitir que los niños coloreen el versículo en sus Biblias con color rosado). «Así como Dios es creador, nosotros podemos ser creadores. Él fue el primer artista y de su corazón nació el arte para traer belleza a nuestra vida». (Leer Eclesiastés 3: 11ª y permitir que los niños lo coloreen en sus Biblias con el color rosado).

«El arte nos muestra siempre la belleza creada por Dios». (El maestro sacará los letreros de «ARTE y BELLEZA» y los pegará en el Cofre [ver láminas 11.1-11.2]). (Palabritas entra en este momento como si fuera un artista o un poeta que admira la Creación de Dios y su belleza).

Palabritas: «Hola mis buenos amigos. He escuchado que ustedes están aprendiendo hoy acerca del arte. Yo les diré lo que es el arte y la belleza».

«El arte es lo que hacen los seres humanos para expresar la belleza. Dios creó la belleza. Algunos ejemplos de este arte son la pintura, la escultura y las danzas (coreografías). Ustedes hicieron una obra de arte en este bello cuadro del mar y sus animales». (Mirar el dibujo y hacer referencia al arte de cada uno). Recuerden: la belleza es la armonía y perfección que inspira admiración y deleite. Hay armonía cuando se cumplen las reglas de la estética». (El maestro explicará estas palabras).

Maestro: «Como hemos aprendido, Dios diseñó el arte para enseñarnos la belleza. Para que algo sea bello debe seguir las reglas de la estética (explicar). Todo lo que Dios creó tiene reglas para asegurar el buen funcionamiento de la creación. ¿Se acuerdan que el gobierno tiene leyes para proteger al bueno y castigar al malo?». (permitir que los niños respondan). «Así mismo, Dios puso las leyes o reglas para que algo sea bello. Si lo que hacemos no cumple con esas reglas, entonces será feo. Una de las leyes para que algo sea bello es la armonía. Por ejemplo, hay armonía de colores cuando dos o más colores seven bien al estar juntos». (Mostrar lámina con combinaciones de colores [ver lámina 11.3]).

«También hay armonía en la música cuando la melodía nos produce deleite». (Si el maestro desea, ahora puede tocar una música que sea agradable y otra que no lo sea por la falta de armonía y afinación). «Además, para que algo sea bello debe reflejar la verdad, tienen que ir de acuerdo a la realidad. ¿Se acuerdan del cuadro que hicimos al principio?». (Haga referencia al cuadro del mar). «Este cuadro es bello porque refleja la verdad de lo que es un mar. Hay animales y plantas marinas que están en el agua. Pero si pusiéramos un camello en el mar, ¿sería algo verdadero?». (Permitir que los niños respondan). «¡Claro que no! Entonces sería un cuadro feo. Todo lo que Dios creó tiene un orden según la verdad. Así también lo que nosotros creamos debe tener orden, verdad y balance para que sea bello».

ACTIVIDAD:

Repartir a cada niño una hoja y las figuras para decorar una casa [ver anexo 11.b]. Pídales a los niños que sean creativos y usen 7 de las 10 figuras. La razón para limitar las piezas es que ellos puedan escoger los elementos que tendrán sus casas y ser creativos. Anime a sus niños a crear sus casas de acuerdo con la verdad. (Cuando terminen, el maestro debe explicar el significado de lo que hicieron).

Maestro: «Ustedes acaban de construir una casa. Como artistas, tuvieron que seguir unas normas para poder reflejar belleza y la verdad. Ustedes no podían colocar cualquier parte de la casa donde les pareciera, porque cada parte tiene su lugar». (Mostrar un ejemplo de una casa mal construida. [Ver anexo 11.c]). «Todos los seres humanos podemos crear obras de arte porque somos hechos a la imagen y semejanza de Dios, quien es el Gran Artista. Pero debemos crear conforme a las reglas de belleza, con armonía, con simetría, y de acuerdo con lo que es verdadero. Cuando vemos algunas obras de arte en un museo, o cuándo escuchamos un concierto o vemos una coreografía que muestra la belleza, nuestra mente y cuerpo se deleitan en lo que está observando y escuchando. Por esto es muy importante aprender a apreciar el arte».

CIERRE:

Aplicación/Resumen

«¿Qué muestra el arte acerca de Dios?». (Permitir que los niños respondan). «El arte nos muestra la belleza que Dios creó. Pero también existe "arte" que no muestra la belleza creada por Dios. Hay música, pinturas, danzas y esculturas que son feas y promueven ideas malas. En el Reino de Dios no podemos aceptar esto. Dios quiere que los artistas sean quienes muestren la belleza de este mundo». (Orar con los niños por corazones que sólo disfruten del arte que trae la belleza de Dios y rechacen el que es contrario a sus propósitos. Recuerde orar también para que Dios llame a algunos de los niños a ser artistas).

MANUALIDAD:

Usted necesitará:

- 1 hoja de comparación de las artes (ver anexo 11.c).

Provea a cada niño con una hoja del pareo (colocar en parejas) de las artes. Explíqueles que deben emparejar al artista con su instrumento u objeto de su arte.

Recomendamos la siguiente canción interpretada por Mrs. Vani: «El equipo de JC». La puedes adquirir en YouTube.

Recomendamos la siguiente canción interpretada por Mrs. Vani: «El equipo de JC». La pueden adquirir en iTunes.

Comunicaciones

Esfera de las comunicaciones

(Clases niños 4-7 años)

Color de la esfera de las comunicaciones: Rojo.

TIEMPO: 1 hora 30 min.

OBJETIVOS:

- ► Conocer el propósito de Dios para las comunicaciones.
- ► Aprender lo que es la verdad.
- ► Promover la utilización de los medios de comunicación para comunicar la verdad.
- ► Animar a utilizar la soberanía que Dios nos ha dado para escoger lo bueno en los medios de comunicación.

VOCABULARIO:

- ► Comunicación:

Acto de impartir u ofrecer información (pensamientos u opiniones) de uno a otro a través de las palabras; mensajes u otros métodos. (Diccionario Webster, 1828).
Acción y efecto de comunicar o comunicarse. (Diccionario de la Real Academia Española, vigésima segunda edición).

- ► Soberano:

Poder supremo; supremacía; poseer el mayor poder. La absoluta soberanía le pertenece sólo a Dios. (Diccionario Webster, 1828).
Que ejerce o posee la autoridad suprema e independiente. (Diccionario de la Real Academia Española, vigésima segunda edición).

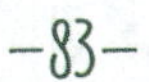

► Verdad:

Conformidad al hecho o realidad; conformidad exacta a aquello que es, que fue o que será. (Diccionario Webster, 1828).

IDEA PRINCIPAL:

► Las comunicaciones trasmiten la verdad de Dios.

ESCRITURA BÍBLICA:

► Salmo 119:160a: «Todas tus palabras se basan en la verdad…».
► Hebreos 4:12: «Cada palabra que Dios pronuncia tiene poder y tiene vida. La palabra de Dios es más cortante que una espada de dos filos, y penetra hasta lo más profundo de nuestro ser. Allí examina nuestros pensamientos y deseos, y deja en claro si son buenos o malos».

Contenido de la lección

ACTIVIDAD DE INICIO: **Usted necesitará:**

- Lista de oraciones verdaderas para comunicar.
- Lista de oraciones falsas para comunicar.

Divida la clase en dos grupos. Infórmeles que hoy van a practicar la comunicación, trasmitiendo un mensaje. Pregunte a cada grupo [sin que el otro escuche] qué mensaje desean comunicar: puede ser uno verdadero o uno falso.

(Pídales que todos los integrantes estén de acuerdo en la decisión. Una vez los niños hayan decidido, pídales que escojan un representante de su grupo. Prepare dos listas con dos frases cada una. Una de las listas tendrá frases verdaderas y la otra tendrá frases falsas).

Frases verdaderas:

1. «Dios quiere que los padres amen a los hijos».

2. «Los papás nos dan órdenes para protegernos».

Frases falsas:

1. «El cielo es siempre verde».

2. «Los papás castigan a los niños que son obedientes».

Ahora lea las frases (verdaderas y falsas) a los representantes de cada grupo para que escojan una. Los representantes comunicarán la frase en forma de secreto al primer niño en su fila, y luego este se la comunicará al niño siguiente, y así hasta el último. El último niño compartirá con todo el mensaje que le fue comunicado.

Al terminar este juego diga a los niños: «En este juego ustedes han practicado la comunicación. Todos compartieron un mensaje con los demás niños. ¿Quiénes decidieron si el mensaje qué iban a compartir iba a ser una verdad o una mentira?». (Permitir que los niños respondan). «Ustedes mismos pudieron escoger si el mensaje era verdadero o falso. Dios le dio el poder de escoger lo que van a decir a sus compañeros, y también pueden decidir lo que van a ver o escuchar. Pero en la comunicación hay algo muy importante: Dios no quiere que comuniquemos mensajes falsos porque no tolera nada que sea falso. Todo lo que Dios comunica es Verdad. Por eso debemos comunicar siempre la verdad, así como Dios lo hace».

DESARROLLO:

Usted necesitará:

Láminas u objetos de lo siguiente:

- Un teléfono (Lámina 12.1).
- Un celular (Lámina 12.2).
- Un periódico (Lámina 12.3).
- Una radio (Lámina 12.4).
- Una revista (Lámina 12.5).
- Un televisor (Lámina 12.6).
- Una botella plástica (Lámina 12.7).
- Flores (Lámina 12.8).
- Un balón (Lámina 12.9).
- Un bote de basura (Lámina 12.10).
- Caja de color rojo (puede ser forrada con papel de construcción).
- Caja de color amarillo (puede ser forrada con papel de construcción).
- Lápices de color rojo (uno para cada niño o 2 por grupo pequeño).
- Manzana verde o cualquier objeto de color llamativo.
- Letreros de las palabras de vocabulario: «COMUNICACIONES» y «VERDAD» (Lámina 12.11;12.12).
- Cinta adhesiva.
- Computador, proyector e internet para presentar película de Gutenberg y la imprenta (opcional).
- Guttenberg:
- *Opción No.1:* mostrar el video: Los inventores: Gutenberg y la Imprenta, el cual se puede encontrar en YouTube: www.youtube.com/watch?v=CsGSDw9xZ9Q (Debe mostrar sólo las partes escogidas previamente, pues el video dura 26 min. aproximadamente).
- *Opción No.2:* contar la historia de Gutenberg con láminas (Anexo 12.a).

El maestro: «Hoy vamos a aprender acerca de las comunicaciones, las cuales son muy importantes en el mundo en que vivimos». (En este momento entra Palabritas hablando por celular).

Palabritas: (Termina la llamada y se dirige a los niños): «Hola niños, ¡buenos días! Escuché que hoy estarán aprendiendo sobre las comunicaciones. ¿Saben que es la comunicación? Yo les diré: La comunicación es pasar una información utilizando palabras, figuras u otros medios. Recuerden que cuando hablamos, escribimos, hacemos señas o utilizamos los correos electrónicos, ¡nos estamos comunicando!».

Maestro: «Sí Palabritas, nosotros los seres humanos nos comunicamos de diferentes maneras y utilizamos diferentes medios. Cuando quieres decirle algo a alguien, ¿cómo lo haces? Lo llamas por teléfono, o le dices a mamá que te escriba una carta, o se lo dices personalmente, o utilizas una computadora. Hoy tenemos muchos medios de comunicación».

Dinámica de los medios de comunicación

El maestro necesitará las láminas u objetos siguientes: un teléfono, un celular, un periódico, una radio, una revista, un televisor, una botella plástica, flores, un balón, un bote de basura [ver Láminas de la 12.1-12.10]. Mezcle todos los objetos o láminas y póngalos en un extremo del salón. En el extremo opuesto coloque dos cajas: una de color rojo y otra amarrilla [puede forrar las cajas con papel de construcción]. Pida a dos voluntarios que a la cuenta de tres clasifiquen los objetos que sirvan para comunicarnos en la caja roja y los demás en la caja amarilla.

Al terminar la actividad compruebe que los objetos fueron clasificados correctamente y diga: todos los objetos que tenemos en la caja roja sirven para comunicarnos. También se llaman «medios de comunicación»: los teléfonos, los celulares, las computadoras, la televisión, el periódico, las revistas y muchos más. El ser humano ha creado estos objetos para ayudarnos a comunicar mejor.

«Pero, ¿por qué es tan importante la comunicación? Para responder esto necesitamos comenzar por la persona más importante de todo el universo, y ese es Dios. Dios se está comunicando con nosotros desde el principio. Al hacer la Creación (los árboles, las plantas, los animales, el ser humano, la luna y las estrellas), y a través de su Palabra (la Biblia), Dios busca enseñarnos quién es Él y cuál es la verdad. Para Dios es muy importante la comunicación porque Él se llama a sí mismo la Palabra viva. Dice Hebreos 4:12 que la palabra de Dios es viva y eficaz y que penetra hasta nuestros huesos y es muy poderosa. Esto quiere decir que las palabras de Dios son muy importantes para nosotros». (Ahora permita que los niños coloreen de rojo el versículo en sus biblias con la ayuda de sus líderes).

Pregunte a los niños: «¿Quieren saber cómo es la Palabra de Dios? Yo les diré. Además de ser poderosa, es verdadera. El salmo 119:160 dice que la Palabra de Dios es verdad. Dios no habla mentiras». (Permita que los niños coloreen de rojo el versículo en sus Biblias con la ayuda de sus líderes).

«De estos pasajes de la Biblia podemos entender que es muy importante comunicarnos, y por qué le interesa a Dios comunicarse con nosotros. Al crearnos parecidos a Él, podemos también comunicar sus ideas a otros. El área de las comunicaciones muestra que Dios es muy poderoso porque sus Palabras son Verdad».

Palabritas (Entra Palabritas e interrumpe…): «Wow! Wow! Wow! Esto quiere decir que todos los medios de comunicación como

el teléfono, las computadoras, los programas de radio y televisión existen para decir la verdad, así como Dios siempre comunica la Verdad. Hemos mencionado una palabra muy importante: VERDAD. ¿Saben que la verdad ocurre cuando decimos lo que realmente sucedió, o cuando describimos los hechos según la realidad, como son? Por ejemplo, (Palabritas muestra una manzana verde) la verdad es que esta manzana es de color verde. Pero si yo les dijera a ustedes que la manzana

es de color azul, ¿estaría diciendo la verdad o una mentira? (Permitir que los niños discutan y respondan).
Seguramente yo estaría diciendo una gran mentira porque lo real es que la manzana es verde».

Maestro: «Según lo que hemos aprendido hasta aquí, ¿qué es lo que Dios quiere que tu comuniques: la verdad o la mentira?». (Permitir que los niños respondan. El maestro sacará los letreros de «COMUNICACIONES» y «VERDAD» [ver lámina 12.11; 12.12] y los pegará en el cofre).

«Ustedes tienen una misión muy importante en las comunicaciones. Para eso, Dios les ha dado un arma muy poderosa que se llama soberanía. La soberanía consiste en tener el poder para decidir. Por ejemplo, en el caso de las comunicaciones, puedes decidir decir la verdad o la mentira. Tu misión dada por Dios para usar bien las comunicaciones consiste en:

1. Compartir sólo la verdad. No chismes, mentiras, chistes crueles e inmorales, etc.

2. Elegir ver, escuchar y leer sólo lo que sea verdadero y bueno. Por ejemplo: Si al encender el televisor están presentando una película donde los niños hacen magia para obtener sus propios sueños, y desobedecen a sus padres y maestros para lograr lo que ellos quieren (se está haciendo alusión a la película de Harry Potter o similares), ¿crees que esto trae vida y dice la verdad sobre cómo debemos vivir? Claro que no. Por eso debemos cambiar de canal y no creer esas mentiras. Para elegir la verdad recuerda que Dios te ha dado el arma de la Soberanía, o sea el arma de Poder, para elegir lo bueno».

«Vamos a conocer a alguien que usó su arma de soberanía para cumplir su misión en las comunicaciones. Él se llamó Guttenberg». (*Plan A:* Presentar un video corto sobre la historia de Gutenberg y la imprenta [ver materiales para enlace en Internet] /*Plan B:* Mostrar láminas de Gutenberg y la imprenta mientras se relata la breve historia de su vida [ver anexo 12.a para historia]). «Gutenberg fue el inventor de la imprenta, una máquina que sirve para producir libros, periódicos y revistas. Él pensó en copiar la Biblia para que todos tuvieran una propia. También pensó en hacer otros libros que dieran a conocer la verdad».

CIERRE:

Aplicación/Resumen

«¿Qué muestran las Comunicaciones acerca de Dios?». (Permita que los niños respondan). «Nos muestran que Dios quiere comunicarnos Su palabra de Verdad. Es decir, nos muestra que Dios es la Verdad. Lamentablemente, las personas han usado los medios de comunicación para decir mentiras, chismes, chistes inmorales y escribir cosas que no agradan a Dios. Pero si ustedes cumplen su misión de usar los medios de comunicación para decir la verdad y deciden ver y escuchar solo lo que agrada a Dios, utilizando el arma secreta de la soberanía, que es el poder que Dios les ha dado para elegir, ustedes cambiarán las comunicaciones para que Dios sea reconocido por todos. Tú puedes comenzar diciendo siempre la verdad con tus padres y amigos, o cuando uses la computadora. También cuando veas televisión debes buscar lo que sea verdadero y bueno». (Haga ahora una oración con sus niños para que Dios les ayude a comunicar siempre la verdad y a utilizar losmedios de comunicación de la manera correcta.
Recuerde orar también para que Dios llame a algunos de los niños a ser buenos comunicadores).

MANUALIDAD:

Usted necesitará:

- Tijeras.
- Pegante blanco o cinta adhesiva.
- Hoja de trabajo de las comunicaciones (una por niño); (Anexo 12.b).

Los niños recortan y pegan en la hoja de trabajo de las comunicaciones los diferentes medios de comunicación que podemos usar para comunicar la verdad. (Ver anexo 12.b).

Recomendamos la siguiente canción interpretada por Mrs. Vani: «Vivo por la Verdad». La pueden adquirir en iTunes.

Economía

Lección 13

Esfera de la Economía
(Clases niños 4-7 años)

Color de la esfera de la economía: Verde.

TIEMPO: 2 horas.

OBJETIVOS:

- ▸ Entender lo que es bondad.
- ▸ Aprender el propósito de Dios para la economía.
- ▸ Entender cómo funciona la economía

VOCABULARIO:

- ▸ Economía:

Ciencia que estudia la forma como los hombres utilizan los recursos naturales (creados por Dios) para producir bienes y servicios para satisfacer las necesidades de la gente. Es el estudio de las formas en que el hombre produce, distribuye y consume bienes y servicios bajo los diferentes sistemas económicos y de gobierno. (James B. Rose, A guide to American Christian Education, p. 415).
Administración eficaz y razonable de los bienes. (Diccionario de la Real Academia Española, vigésima segunda edición).

- ▸ Bondad:

Natural inclinación a hacer el bien. (Diccionario de la Real Academia Española, vigésima segunda edición).
Buena voluntad; benevolencia; carácter o disposición que se deleita en contribuir a la felicidad de otros, la cual es ejercida alegremente para gratificar sus deseos, supliendo sus necesidades o aliviando sus aflicciones... (Diccionario Webster, 1828).

IDEA PRINCIPAL:

► La economía revela la bondad de Dios.

ESCRITURA BÍBLICA:

► Deuteronomio 15:4 «De esta manera no habrá pobres entre ustedes, pues el Señor Dios te bendecirá en el país que él te va a dar como herencia».

► Mateo 6:24-34 «Ningún esclavo puede trabajar al mismo tiempo para dos amos, porque siempre obedecerá o amará a uno más que al otro. Del mismo modo, tampoco ustedes pueden servir al mismo tiempo a Dios y a las riquezas. No vivan pensando en qué van a comer, qué van a beber o qué ropa se van a poner… el Padre que está en el cielo, les da todo lo que necesitan. Lo más importante es que reconozcan a Dios como único rey, y que hagan lo que él les pide. Dios les dará a su tiempo todo lo que necesiten».

Contenido de la lección

ACTIVIDAD DE INICIO:

Usted necesitará:

- Una zanahoria.
- Un pedazo de madera (pequeño de 2"x 2").
- Una botella de agua.
- Un pedazo de tela.
- Una olla.
- Una bola de lana para tejer o carrete de hilo.
- Una hoja de papel.
- Un pedazo de barro o plastilina.
- Una fruta.
- Radio con música.

(Cada niño debe tener un artículo con el cual pueda crear varias cosas que tengan varios usos). Coloque los siguientes artículos formando una línea recta en el piso: una zanahoria, un pedazo de madera, un recipiente con agua, un pedazo de tela, una olla, una bola de lana para tejer o un carrete de hilo, papel, un pedazo de barro o plastilina, una fruta, etc... (Procure colocar un objeto para cada niño). Dígales a los niños que mientras la música suena, ellos deben dar vueltas alrededor de los objetos. Cuando la música se detenga, ellos deben tomar el objeto que esté al frente. Pídale a cada niño que use la imaginación dada por Dios y piense qué se podría hacer con ese objeto. Ayude a los niños a «pensar creativamente».

Por ejemplo, con la zanahoria se podría hacer un jugo o una rica ensalada. Con un recipiente con agua se pueden regar las matas o plantas. Cuando cada niño diga para qué usará su objeto, explique lo siguiente: «Ahora cada uno de ustedes tiene en sus manos un recurso creado por Dios, el cual sirve para suplir una necesidad. ¿Comprenden? Algunas necesidades de los seres humanos son: el alimento (la zanahoria, la fruta, el agua), la vestimenta (la tela, el hilo o la lana, etc.), y la salud (comer bien, dormir, trabajar y descansar), etc. Sabemos que Dios creó los recursos naturales para suplir las necesidades de la gente. Si usamos bien los recursos naturales podemos crear riqueza».

DESARROLLO:

Usted necesitará:

- Una marioneta (para representar el personaje Palabritas).
- Una sábana para la marioneta o un teatrino.
- Un pedazo de madera (para Palabritas).
- Una piedra (para Palabritas).
- Rótulos de las palabra de vocabulario «BONDAD» y «ECONOMÍA» (Lámina 13.1 y 13.2).
- Un libro (para simular un diccionario para Palabritas).
- Cinta adhesiva.
- Cartel con un árbol dibujado (Lámina 13.3).
- Cartel con un hombre dibujado (Lámina 13.4).
- Cartel con un hacha dibujada (Lámina 13.5).
- Cartel con una casa de madera dibujada (Lámina 13.6).
- Un porta-retrato (para Palabritas) [ver anexo 13.b para instrucciones].
- Cartón y piedras pequeñas (para Palabritas).
- Tijeras, pegante, lápiz (para Palabritas).
- Rótulo «Producción» (Lámina 13.7).
- Imagen de una vaca (Lámina 13.8).
- Imagen de un hombre ordeñando una vaca (Lámina 13.9).
- Imagen de máquinas para pasteurizar leche (Lámina 13.10).
- Imagen de proceso de empaque de leche (Lámina 13.11).
- Rótulo «Distribución» (Lámina 13.12).
- Imagen de un camión transportando la leche (Lámina 13.13).
- Rótulo «Consumo» (Lámina 13.14).
- Imagen de góndolas con leche en supermercado (Lámina 13.15).
- Imagen de un niño(a) bebiendo leche (pueden ser fotos o dibujos) (Lámina 13.16).

(De pronto se escucha ruido detrás del telón de Palabritas).

Palabritas: «¡Esto no sirve para nada, hmm… esto tampoco!».

Maestro: «¿Escuchan ese ruido? ¿Qué le estará pasando a Palabritas?».

Palabritas (Sale de detrás del telón): «¡Aquí estoy! Estoy limpiando mi casa. Hay cosas inservibles que debo botar a la basura».

Maestro: ¿Cómo qué cosas?».

Palabritas: «Como este pedazo de madera. (Palabritas muestra un pedazo de madera). ¿Para qué sirve la madera? No tiene utilidad».

Maestro: «Oh, no. Eso no es cierto. La madera sirve para muchas cosas... Niños, ¿para qué creen ustedes que sirve la madera?». (Estimular los niños para que respondan y/o sugerirles algunos usos: hacer casas, mesas, sillas, puertas, lápices, etc.).

Palabritas: «¡Sí! es cierto; la madera es muy útil. Ah, pero miren: Aquí tengo una piedra. ¿Para qué puede servir una piedra?».

Maestro: «Niños, ¿Para qué sirven las piedras? (permita a los niños expresarse). Bueno, las piedras se usan para la construcción de las casas, para hacer pisa-papeles, para decorar jardines, etc».

Palabritas: «¡Que increíble! Todo lo que Dios creó y que podemos ver en la naturaleza, es muy útil para producir otras cosas necesarias como las piedras».

Maestro: «Sí, Palabritas. Dios creó el universo con todo lo necesario para que el hombre y la mujer pudieran vivir y crear riqueza. Esto lo hace Dios porque es Bueno. Así nos muestra su bondad». (Muestre el rótulo de la palabra BONDAD [ver lámina 13.1]).

Palabritas: «¿Bondad? ¡Escuché la palabra bondad! ¡La buscaré ahora mismo!». (Palabritas hace que está buscando la palabra en un diccionario). «Bondad es ayudar a facilitar la felicidad de otro, proveyendo para sus necesidades y aliviando su tristeza». (Repetir varias veces esta definición).

Maestro: «Dios es bondadoso, no lo olviden». (El maestro pedirá un voluntario que coloque la palabra BONDAD en el cofre). «La Biblia dice en Mateo 6:24-34 que Dios sabe qué cosas necesitamos (como ropa o comida) y Él se goza en proveernos esto que tanto necesitamos. Como Él es bondadoso, podemos confiar que siempre nos dará lo que necesitamos o los recursos o materiales para hacerlo». (Permita que los niños subrayen el versículo en sus Biblias con el color verde). «Dios es «el mejor economista» porque creó todas las cosas que necesitamos y nos dio la capacidad de usarlas (administrarlas) para vivir bien».

Palabritas: «¿Economista? ¿Qué es eso? Esta palabra se relaciona con la palabra economía. ¿Qué es economía?».

(El maestro muestra el rótulo de la palabra ECONOMÍA [ver lámina 13.1] mientras Palabritas hace como si estuviera buscando la palabra en el diccionario).

Palabritas: «La economía es la ciencia de administrar bien los recursos naturales que Dios creó para lo que necesitemos». (El maestro pide un voluntario para que coloque el rótulo en el cofre).

Maestro: «Para que la economía funcione bien, necesitamos cuidar los recursos naturales que Dios creó para nosotros». (Se muestra el cartel con un árbol dibujado que representa los recursos naturales y se pega en la pared o en alguna pizarra [ver lámina 13.3]). «Pero estos recursos por sí solos no funcionan. Tenemos que usar nuestra capacidad para trabajar. El trabajo es otro regalo de Dios». (Se muestra un cartel con la imagen de un hombre trabajando y se pega al lado del árbol [ver lámina 13.4]).

«En el juego anterior ustedes tomaron algunos recursos que Dios nos dio: zanahoria, hilo, frutas, tela, etc... Ustedes mencionaron diferentes cosas que se podían hacer con estos recursos y trabajan con ellos pueden ayudar a otras personas. Esta es la manera correcta de practicar la economía. Debemos dar gracias a Dios por inventar la economía».

Palabritas: «¡Claro, claro, ahora entiendo! Por eso un árbol no funciona solo. Necesitamos un hombre que trabaje cortando el árbol para poder obtener la madera y así construir una casa».

Maestro: «Muy bien Palabritas, veo que estás entendiendo. Pero falta una cosa muy importante:

las herramientas. Dios nos ha dado ideas para hacer herramientas. Cuando tenemos herramientas podemos hacer muchos productos. ¿Qué herramientas necesitamos para hacer una casa? ¡Imagínate una persona que quiera hacer una casa con madera solamente!».

Palabritas: «Yo no entraría a esa casa porque se me podrían caer las maderas encima».

Maestro: «¡Exacto! Pero si tenemos un martillo, clavos y una sierra para cortar la madera, podemos hacer una casa que sea más segura. Por esto las herramientas son necesarias». (Se muestra el cartel con el dibujo de una sierra o un hacha, y se pega al lado de la imagen del hombre trabajador [ver lámina 13.5]).

Maestro: «Todo esto es parte de la economía. Dios fue el primero en inventar la economía. La economía produce bienes y riqueza». (Se pega el cartel de la casa de madera y luego las herramientas [ver lámina 13.6]).

Palabritas: «Vamos a ver si aprendí bien, maestra. Por ejemplo, si yo quisiera generar riqueza haciendo y vendiendo porta-retratos, necesito primero los recursos: cartón, pegante, madera, colores, etc...». (El maestro enseña los materiales que se necesitarían para hacer el porta-retrato). «Pero además necesito trabajar. Las cosas no se hacen solas. También necesito algunas herramientas como las tijeras, el pegante y las crayolas o lápices de colores . (Mostrar estos recursos). El producto final sería el porta-retrato que puedo venderlo o hacerle un regalo a mi mamá. ¡Miren qué lindo!». (Mostrar un porta-retrato ya terminado. [Ver anexo 13.b para instrucciones]).

Maestro: «¡Excelente, Palabritas! Has entendido todo muy bien. Damos gracias a Dios que es fiel en darnos los recursos, la energía para trabajar, y las ideas para crear herramientas. ¡Es que podemos producir muchas cosas! Ahora sí podemos decir que la economía nos muestra la bondad de Dios. Él ha sido bondadoso en proveer los materiales que necesitamos para hacer muchas cosas y ayudar a otros para que produzcan riquezas. Dios no desea que las personas sean pobres». (Lea Deuteronomio 24:14 y permita que los niños lo subrayen con el color verde). *Concluya:* «Por esto es necesaria la economía: para crear riqueza y también para ayudar y suplir a los pobres y necesitados».

«Ahora vamos a descubrir y aprender un proceso básico en cómo la economía crea empleos, riquezas y provisión para los necesitados. ¿A cuántos de ustedes les gusta tomarse un rico vaso de leche fría en la mañana?». (Permitir que los niños respondan). «Pero, para que tú puedas beberte un delicioso vaso de leche todas las mañanas necesitas…».

Palabritas: «Yo sé, yo sé… Necesito primero la vaca».

Maestro: «Muy bien, Palabritas. La vaca es el recurso que Dios creó para darnos la leche. También necesitamos un hombre que ordeñe la vaca. Esto se llama producción. Luego se pone la leche en los envases y se lleva al supermercado. Esto se llama distribución». (Mostrar y pegar letreros con las palabras e imágenes «producción» y «distribución», mientras se mencionan [ver láminas 13.7- 13.13]).

Palabritas: «Y finalmente la mamá va al supermercado, compra la leche, la lleva a la casa para que yo pueda disfrutar del vaso de leche todos los días».

Maestro: «Exacto. A esto se le llama consumo, cuando se compra y se utiliza un producto». (Ver láminas 13.14-13.16).

CIERRE:

Usted necesita los siguientes materiales:

- Hoja de trabajo de economía (Anexo 13.a).
- Hojas de imágenes (una para cada niño; los niños recortarán y pegarán las mismas en la hoja de trabajo de economía). (Ver anexo 13.a).

Aplicación/Resumen

Palabritas: «¡Wow, ¡cuánto hemos aprendido hoy! Hemos aprendido que Dios es bondadoso, y que por su bondad nos da los recursos para hacer todo lo que necesitamos. También aprendí que necesitamos trabajar para producir lo que necesitamos. Para eso, necesitamos crear herramientas. Finalmente, cuando tenemos los productos podemos transportarlos, distribuirlos y venderlos para que otros puedan comprarlos».

Maestro: «Y algo que no podemos olvidar es que la economía nos muestra la bondad de Dios. Gracias a su bondad podemos es que podemos trabajar y así crear riqueza».

«Bien niños, hemos visto que Dios ha sido bueno con nosotros al proveernos todo lo que necesitamos para vivir en el mundo que Él creó. Pero, Dios desea que tú y yo también seamos bondadosos. ¿Te gusta servir a otros con tus bienes: tu dinero, tus capacidades, tu tiempo, y tu servicio? ¿Te alegras cuando puedes dar cosas buenas a otros? Si un compañero tiene necesidad de alimento, ¿compartes tu alimento con él? Si ves a tu mamá trabajando en la limpieza de la casa, ¿le ayudas? Todos estos son actos de bondad». (Haga una oración con sus niños para que Dios les ayude a ser bondadosos sirviendo a otros con sus recursos y siendo buenos mayordomos de lo que Dios les ha dado. Recuerde orar también para que Dios llame a algunos de los niños a ser economistas).

HOJA DE REGISTRO:

1. El maestro entregará la hoja de trabajo. (Ver anexo 13.a).

2. A cada niño se le entregará otra hoja que contenga las siguientes imágenes: arroz, mamá, estufa y comida. (Ver anexo 13.a).

3. Los estudiantes recortarán y pegarán las imágenes en la hoja de trabajo, mostrando la producción, la distribución y el consumo. Esta es la economía. Si tienen tiempo pueden permitir que los niños coloreen su trabajo.

4. Permita que los niños guarden su trabajo en su cofre del tesoro.

Recomendamos la siguiente canción interpretada por John Ray Morales: «El Futuro se hace hoy». La pueden adquirir en iTunes.

Iglesia

Esfera de la Iglesia

(Clases niños 4-7 años)

Color de la esfera de la iglesia: Amarillo.

TIEMPO: 1 hora y 30 min.

OBJETIVOS:

- ▶ Aprender qué es la santidad y la misericordia.
- ▶ Conocer el propósito de Dios para la Iglesia.
- ▶ Entender que los niños son parte de la Iglesia.
- ▶ Descubrir las maneras prácticas de vivir como iglesia.

VOCABULARIO:

- ▶ Iglesia:

Comunidad de creyentes que deben encarnar la Palabra en un mundo desolado. (D. Miller, Vida, Trabajo y Vocación, p.336, Editorial JUCUM).
Conjunto de fieles que siguen la religión establecida por Jesucristo. (Diccionario de la lengua española © 2005 Espasa-Calpe).

- ▶ Misericordia:

Tener compasión; ternura de corazón que dispone a la persona a pasar por alto una ofensa o tratar al ofensor mejor de lo que se merece. (Diccionario Webster, 1828).
Inclinación a la compasión hacia los sufrimientos o errores ajenos. (Diccionario de la lengua española © 2005 Espasa-Calpe).

- ▶ Santidad:

El estado o cualidad de ser santo; integridad moral perfecta o pureza; libertad del pecado; santidad; inocencia. (Diccionario Webster, 1913).

IDEA PRINCIPAL:

► La Iglesia muestra al mundo la misericordia y la santidad de Dios en todo lo que hace.

ESCRITURA BÍBLICA:

► Mateo 16:18: «Por eso te llamaré Pedro, que quiere decir «piedra». Sobre esta piedra construiré mi iglesia, y la muerte no podrá destruirla».

Contenido de la lección

ACTIVIDAD DE INICIO:

Usted necesita los siguientes materiales:

- Imágenes de las clases de El Rey y su Reino (mural completo: figura del Rey con sus cualidades de la personalidad y el carácter; imagen de la creación; imagen de los 10 mandamientos; imagen de los desobedientes; imagen de la cruz; imagen de la misión. [Ver láminas 1.1-1.3; 1.8-1.15; 2.1-2]).
- Rótulo pequeño que diga «IGLESIA» (Lámina 14.1), (este rótulo es para pegarlo en el pecho de cada niño).

(Utilizando las imágenes del mural que hicimos en las clases del El Rey y Su Reino, repase la historia del Reino como se describe a continuación [ver láminas 1.1-1.3; 1.8-1.15; 2.1-2.7]).

«¿Recuerdan la historia del Reino de Dios que vimos en la primera clase? ¿Quién era ese Rey?». (Permitir que los niños respondan). «Dios ese Rey bueno. ¿De dónde es Rey? Es Rey del universo, de toda la gente del mundo, y de todas las cosas que Él creó. ¿Se acuerdan que este Rey nos dio unas leyes buenas para que pudiéramos vivir en orden y estuviéramos protegidos?». (Permita que los niños piensen y hablen). «Pero, ¿qué sucedió luego?». (Permitir que los niños respondan). «Hubo personas que decidieron desobedecer las leyes de Dios y él se puso muy triste. Entonces nos envió a su Hijo Jesús para salvarnos. Pero la buena noticia es que cuando nos arrepentimos y permitimos que Él sea nuestro Rey, Dios nos incluye en su ejército». (Mostrar la imagen de «Nuestra misión» de la clase del Rey y su Reino [ver lámina 2.7] y pedir a los niños que la describan en sus propias palabras). «En esta imagen vemos que Dios nos ha dado una misión, ¿recuerdan cuál era?». (Permitir que los niños hablen y respondan). «Nuestra misión es: Conocer a Dios y mostrárselo a otros, haciéndolo Rey en todo lo que hagamos, y enseñándole a otros a obedecerle. Si cumplimos esta misión seremos parte de la iglesia»

«¿Cuántos de ustedes se han arrepentido de sus pecados y han aceptado a Jesucristo como su Rey?» (Permita que los niños piensen y respondan. Si algún niño no ha aceptado a Jesús como su salvador puede invitarlo a tomar la decisión y luego orar por él. A continuación, coloque a cada uno de los niños un letrero en el pecho que diga: «IGLESIA» [Lámina. 14.1]).

«Muy bien. Todos ustedes han aceptado a Jesús como su Rey, por lo tanto deben cumplir su misión porque ustedes son la Iglesia».

DESARROLLO:

Usted necesita los siguientes materiales:

- Marioneta del personaje Palabritas o el recurso humano.
- Diccionario para Palabritas (si es una marioneta el diccionario puede ser hecho en cartón si es un recurso humano puede ser un libro grande).
- Rótulo de la palabra «IGLESIA» (Lámina14.2. Palabra IGLESIA recortar, lám. 14.1).
- Rótulo de la palabra de vocabulario «MISERICORDIA» Y «SANTIDAD» (Lámina 14.3).
- Imagen del diamante del Carácter de Dios (de la clase del Rey y Su Reino Lámina 1.9- 1.15).
- Imagen de un templo (Lámina 14.4).
- Imagen de un grupo de personas (Lámina 14.5).
- Imágenes con rótulos de las siguientes profesiones y situaciones:
  - ► Agricultor (Lámina 14.6).
  - ► Constructor (Lámina 14.7).
  - ► Maestra (Lámina 14.8).
  - ► Limpieza (Lámina 14.9).
  - ► Jugando fútbol (Lámina 14.10).
- Biblia.
- Una bata blanca.
- Varios recipientes que representen medicamentos.
- Varios libros.
- Un vaso grande o una jarra con agua.
- Varios objetos que sirvan de obstáculos:
  - ► Una soga.
  - ► Una almohada.
  - ► Una caja mediana de cartón abierta en los extremos.
  - ► Balones.
  - ► 2 sillas, etc…

(Entra palabritas con el rótulo de «IGLESIA» pegado en el pecho y dice:) «Buenas, buenas. ¿Qué están aprendiendo? Acabo de escuchar que ustedes son la Iglesia ¡Qué bueno! Yo también soy la Iglesia (señala su letrero) y les vengo a decir qué es la iglesia. La Iglesia es una comunidad de creyentes que han aceptado a Jesús como su Rey y Salvador, y muestran que obedecen a Dios en todo lo que hacen».

Maestro: (Mostrando la imagen de un templo cristiano y la imagen de varias personas [Ver láminas 14.4, 14.5]). «Según la definición que nos dijo Palabritas, ¿qué es Iglesia?». (Permitir que los niños hablen y se pongan de acuerdo). «La Iglesia es un grupo de personas, no es el edificio. Tú y yo somos la Iglesia, pero tenemos que mostrar la misericordia y la santidad de Dios en TODO lo que hacemos».

Palabritas: «¡Escuché la palabra misericordia y la voy a buscar inmediatamente en mi diccionario! (Palabritas hace que está buscando en el diccionario). Misericordia es perdonar a aquellos que se arrepienten sin darles el castigo que se merecen».

Maestro: «¿Recuerdan quién es misericordioso? ¡Dios es misericordioso!». (La maestra pega las palabras «MISERICORDIA y SANTIDAD» [ver lámina 14.3]). «Dios nos perdona cuando nos arrepentimos y nos ama aunque no lo merezcamos. Quizás en algún momento hayas mentido, pero si te arrepientes y le dices que no vas a volver a pecar, Dios te perdonará. Tú también puedes ser misericordioso mostrando el amor de Dios a todos los que te rodean. Puedes mostrar la misericordia de Dios en tu escuela, perdonando al compañero que te empujó».

Palabritas: «También escuché decir que la iglesia debe mostrar la santidad de Dios. Santidad es separarse del pecado».

Maestro: «Dios es santo». (En este momento deben hablar del diamante y de las cualidades del carácter de Dios). «Dios vive separado del pecado. Tú también puedes ser santo si te apartas del pecado y vives todas las cualidades del carácter de Dios: El amor, la sabiduría, la justicia, la misericordia, la verdad y la fidelidad». (Haga otra referencia al diamante del carácter de Dios [ver láminas 1.9-1.15]). «Dios espera que, si ustedes son parte de su Iglesia, muestren su carácter santo en todo lo que hacen: amando a los demás, no haciendo cosas malas como mentir o robar, obedeciendo a tus padres y maestros, y haciendo todo lo que alegra el corazón de Dios».

Actividad:

Distribuya el salón en cinco estaciones (áreas) y póngale a cada una un letrero grande que diga: agricultores, constructores, maestros, personal de limpieza o aseadores y jugadores de fútbol. [Ver láminas 14.6-14.10]. Luego divida a los niños en cinco grupos y asígnelos a cada una de las cinco estaciones. Enséñeles a hacer la mímica de los agricultores, de los constructores, de los maestros, de los aseadores y de los jugadores de fútbol.

El juego consiste en que todos los grupos deben cambiar de estación cuando la maestra diga: ¡cambio! Dígales a los niños que roten siempre a la estación que está a su derecha. En ese momento el grupo de los agricultores se va al de los constructores y cambia la mímica que estaba haciendo. El grupo de los constructores se va al de los maestros. El de los maestros se va al de los aseadores. El de los aseadores se va al de los jugadores, y el de los jugadores se va al de los agricultores. Así todos los grupos van rotando y cambiando la mímica. Los niños deben hacer la mímica de lo que dice cada estación y deben repetir la frase: «Yo soy iglesia en todo lugar». La maestra repetirá la palabra cambio cuando pase un minuto para que los niños cambien de estación. El juego terminará cuando todos los grupos hayan pasado por todas las estaciones.

Al finalizar esta dinámica diga: «Tú y yo somos la Iglesia en todo lugar». Explique a los niños que somos Iglesia cuando limpiamos nuestros cuartos, cuando vamos a la escuela y cuando jugamos con nuestros compañeros. «¿Recuerdas cuando aprendimos sobre las esferas de la vida en las que Dios nos llama a servir a los demás? ¿Cuáles son esas esferas?». (Permitir que los niños piensen y respondan: la familia, la educación, la Iglesia, la economía, las ciencias, las artes… ¿falta una?». Ahora mencione la esfera que los niños olvidaron y pregunte cómo podemos servir a Dios en cada una).

Maestro: «Cada uno de ustedes tiene un llamado especial de Dios para trabajar en algún área de la sociedad: algunos de ustedes serán maestros, bailarines, científicos, plomeros, constructores, agricultores, ingenieros, etc. En todas estas esferas de la vida tú puedes practicar lo que Dios dice, por ejemplo: ser responsable, decir la verdad siempre, amar el trabajo, hacer las cosas bien hechas y servir a los demás. Así estás haciendo que Dios sea el Rey. Si somos el ejemplo, otros nos seguirán y así los atraeremos a Dios para que se conviertan en sus seguidores y se añadan a la Iglesia».

Actividad:

Coloque una soga estirada en el suelo y ponga algunos obstáculos sobre la soga para representar las situaciones que todo cristiano enfrenta cuando Dios lo llama a cumplir la misión. Escoja 5 personas que puedan dramatizar 5 vocaciones o trabajos: maestros, médicos, agricultores, constructores y jugadores de fútbol. Si no hay personas que dramaticen a estos personajes, use cartulinas que representen las necesidades de la gente como se muestran en el cuadro de abajo. Divida luego a los niños en los 5 grupos [cada grupo debe tener un líder adulto] asignándoles una vocación que corresponda a las necesidades. (Dramatizar en el extremo opuesto de la soga).

«¿De qué depende su llamamiento o vocación para desempeñar un trabajo? De las necesidades de la gente, porque la gente necesita comida, necesita salud, necesita aprender, y necesita construir casas». [Ver tabla a continuación].

Estudiemos a continuación un gráfico que presenta la idea de la actividad:

NECESIDAD	VOCACIÓN O LLAMADO DE DIOS
Niño que quiere leer la Biblia pero no sabe leer	Maestros
Familia que necesita ayuda para construir una casa	Constructores
Personas que sufren enfermedades	Médicos
Comunidades con falta de alimentos	Agricultores
Jóvenes que no tienen propósito y se van tras la droga	Jugador de fútbol

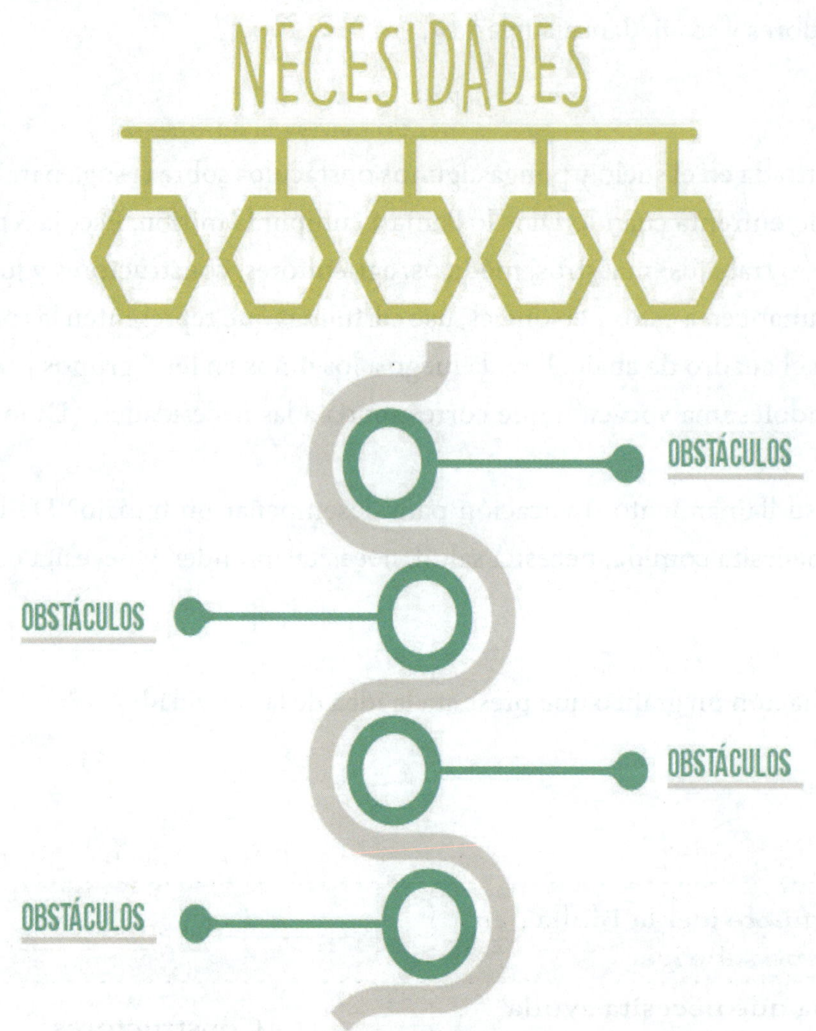

NECESIDADES
OBSTÁCULOS
OBSTÁCULOS
OBSTÁCULOS
OBSTÁCULOS
Maestros, Constructores, Jugadores, Médicos, Agricultores

VOCACIONES QUE PUEDEN SUPLIR
LAS NECESIDADES AL OTRO EXTREMO

Explique el juego dando una demostración de lo que harán los niños al escuchar las necesidades. Ejemplo: Al escuchar la necesidad que tiene «un niño que no sabe leer», los niños con vocación de maestros saldrán al frente y dirán: «Yo soy la Iglesia en todo lugar». Explíqueles detalladamente: los niños con vocación de maestros deben sobrepasar los obstáculos hasta llegar a donde está «el niño que no sabe leer». Allí harán una mímica como si le estuvieran enseñando a leer al niño. Los niños con vocación de agricultores deben llegar hasta donde está la familia sin alimentos y hacer la mímica de prepararles comida. (Esto mismo harán los niños con las 5 necesidades que se muestran en el cuadro).

Maestro (al terminar): «Tal como hemos aprendido, El Reino de Dios está donde quiera que se cumpla su voluntad. Nuestra meta no es solo ir al cielo, sino traer su Reino aquí a la tierra. Y la manera de traer el Reino de Dios a la tierra es mostrando su misericordia y santidad en todo lo que hacemos, y en todo lugar donde estemos ahora, siendo niños, en nuestras escuelas, en nuestras casas, en el parque, en el autobús, etc. Dios te ha dado capacidades que podrás usar en tu vocación. Como en este juego que acabamos de hacer, pronto algunos de ustedes serán maestros, otros médicos, otros agricultores, etc. Nuestro Señor quiere que con tu vocación (llamado de Dios), extiendas el Reino de Dios y así cumplas la gran comisión. Serás una Iglesia efectiva ahora; y seguirás siendo Iglesia cuando crezcas y muestres la misericordia y la santidad de Dios, como lo acabaron de hacer en el juego».

En este mundo hay muchas personas que no conocen a Dios, y como iglesia tenemos que mostrárselo. Dios llamó a toda la iglesia, a ti y a mí, para que hagamos discípulos. Un discípulo es un aprendiz, es un buen imitador de su maestro.

ACTIVIDAD:

Escoja cuatro niños voluntarios. Escoja un líder que hará ciertos ejercicios como levantar una mano, mover la pierna, brincar, etc. Así animará a los niños para que lo imiten y repitan las frases que él dirá. La actividad consiste en que los niños lo imiten a la perfección. Explique que esto es un ejemplo de cómo hacer discípulos: debes ser ejemplo para que otros te imiten.

¿A quiénes debemos discipular? A las gentes de todas las naciones. Debemos salir a todas las naciones para hacer discípulos. ¿Cómo? Enseñando a las personas lo que hemos aprendido acerca de Jesús y su Reino. Ustedes pueden comenzar a hacer discípulos enseñándoles a sus amiguitos todo lo que han aprendido en estas clases y en sus tiempos a solas con Dios.

Es posible que algunas veces no quieras compartir acerca del Señor Jesús porque te da miedo hablar a la gente o no sabes qué decir. Pero el mismo Jesús nos ha dicho que Él estará con nosotros siempre. Él te ayudará siempre para que puedas cumplir tu misión de ir y hacer discípulos.

CIERRE:

Aplicación/Resumen

«Tú eres parte de la Iglesia. Dios quiere que tú traigas su Reino en todo lo que haces, mostrando su amor y santidad. Por eso debemos ser puros y sin pecado, sin hacer aquellas cosas que sabemos que están mal. Tú puedes traer el Reino de Dios ahora, siendo un buen hijo y un buen estudiante. Cuando seas grande podrás traer el Reino de Dios a través de lo que Dios te llame a hacer; seas

maestro, ingeniero, agricultor, científico, deportista, o te llame a cualquier otra (esfera) área de la sociedad». (Dedique un buen tiempo para orar con los niños. Dé gracias a Dios por el privilegio de ser parte de
la iglesia y trabajar con Él para traer su Reino a la tierra. Pídale al Señor que revele a los niños cómo pueden
mostrar la misericordia y la santidad de Él en la escuela y en sus casas).

MANUALIDAD:

Usted necesita los siguientes materiales:
* Hoja de trabajo de la Iglesia para cada niño (Anexo 14.a).
* Tijeras.
* Pegante.

Utilicen la hoja de trabajo de la Iglesia (ver anexo 14.a). Recortar las imágenes de cómo ser iglesia, mostrando la misericordia y la santidad de Dios. Péguelas luego en la hoja de trabajo. —A medida que pega las
imágenes recortadas, vaya dando ejemplos de cómo los niños pueden mostrar la misericordia y la santidad
de Dios .

Recomendamos la siguiente canción interpretada por Mrs. Vani: «Servir Nos Hace Grandes». La pueden adquirir en iTunes.